Les lucioles, peut-être

Camille Bouchard

Les éditions Héritage inc.

Données de catalogage avant publication (Canada)

Bouchard, Camille, 1955–

Les lucioles, peut-être

(Collection Échos, Niveau III)

ISBN : 2-7625-7598-2

I. Titre. II. Collection

PS8553.O756L82 1994   C843'.54 C-94-940374-1
PS9553.O756L82 1994
PQ3919.2.B68L82 1994

Illustration de la couverture : Pol Turgeon

© Les éditions Héritage inc. 1994
Tous droits réservés

Dépôts légaux : 3ᵉ trimestre 1994
Bibliothèque nationale du Québec
Bibliothèque nationale du Canada

ISBN : 2-7625-7598-2   Imprimé au Canada

LES ÉDITIONS HÉRITAGE INC.
300, Arran, Saint-Lambert (Québec) J4R 1K5
(514) 875-0327

À Lorraine et Nancy

À mes grands-mères
À ma mère
À mes sœurs et nièces

Du même auteur, dans la collection Échos :
L'Empire chagrin

*Tout drame inventé
reflète un drame
qui ne s'invente pas.*

François Mauriac

Prologue

Ce soir-là, la lune absente, le désert n'était qu'un abîme sombre, sans la moindre lumière. Dans le ciel, les étoiles scintillaient en si grand nombre que jamais je n'aurais cru qu'il puisse en exister autant. La Voie lactée ressemblait à une dentelle légère qu'Inanna, la déesse de l'amour, dans un pas de danse un peu vif, aurait laissé tomber derrière elle. J'avais l'impression de flotter entre le néant et le dôme céleste.

Dans un tel environnement, on se sent à la fois petit et immense, humain et magicien. L'homme à la recherche de lui-même peut y retrouver toute l'humilité de sa petitesse... ou toute la démesure de son orgueil.

Étendu sur le sol, les mains jointes sous ma nuque, je sentais la tiédeur du sable contre mon dos. Déjà, presque toute la chaleur de l'après-midi avait été réverbérée et, à cette époque de l'année, au matin, le sable serait aussi froid que la neige. Perdu dans ma rêverie contemplative, une phrase d'Alfred de Vigny me revint à l'esprit : « Seul le silence est grand ; tout le reste est faiblesse. » Ici plus qu'ailleurs, ces mots sonnaient juste.

À mes côtés, depuis un moment, Al-'Abbâs s'était levé sur son séant. Je distinguais vaguement sa silhouette se découper au milieu des étoiles. Lui non plus ne disait rien. Il s'enivrait de calme absolu, se libérait un moment de ses contraintes de chef d'État. Malgré sa foi chancelante, il avait peut-être l'impression, en des moments comme ceux-ci, de se rapprocher d'Allâh.

Mais peut-être aussi ne faisait-il que contempler de l'intérieur sa propre puissance personnelle et la force avec laquelle il gouvernait son peuple meurtri.

Au lieu de son éternel treillis militaire, il s'était vêtu d'une djellaba de laine sombre. Le capuchon rejeté à l'arrière, il gardait le menton relevé comme en signe de défi perpétuel. Soudainement, quelques gardes chargés de notre protection allumèrent au loin les phares d'une jeep afin de déterminer la cause d'un mouvement qui leur avait paru suspect. Pendant qu'ils s'assuraient que l'objet de leur méfiance n'était bel et bien qu'un lézard, je profitai de la lumière pour observer mon compagnon.

Al-'Abbâs avait un physique moins imposant que ne le laissaient croire les images à la télévision. Malgré tout, il mesurait une bonne tête de plus que les autres membres de son état-major. Son visage, marqué d'un nez fort mais droit, d'yeux petits, d'arcades sourcilières proéminentes et d'une mâchoire large et anguleuse, avait un aspect sévère, renfermé. Une moustache, toujours taillée avec soin, et des cheveux courts d'un noir luisant le faisaient paraître beaucoup plus jeune que ses quarante-quatre ans.

Lorsqu'il souriait, dévoilant ainsi toute la blancheur de sa dentition parfaite, une fossette creusait sa joue droite. Cela suffisait à estomper la dureté de ses traits, l'austérité qui pouvait s'en dégager. Alors, plus rien ne laissait soupçonner la brutalité et la cruauté qui l'habitaient parfois.

— Tu sais ce que disait votre Jean-Paul Sartre, Vincent ? me demanda-t-il soudain, dans un français dont l'accent trahissait les nombreuses années vécues à Paris.

Il n'avait pas tourné la tête vers moi ; il observait ses hommes s'affairer autour du véhicule, au loin.

— Sartre était français, répondis-je, et je

suis québécois. Alors, ce n'est pas *mon* Jean-Paul Sartre.

Sans se laisser démonter par ma réplique, il reprit :

— Oui, bon, eh bien le Sartre des Français disait : « Quand les riches se font la guerre, ce sont les pauvres qui meurent. »

Il aimait bien, comme ça, à brûle-pourpoint, citer un auteur, un passage quelconque de la littérature occidentale. Il était bien servi, dans cet exercice, par une mémoire prodigieuse. Il s'amusait ainsi à démontrer sa connaissance de notre culture, à donner l'impression d'être un adversaire parfaitement renseigné sur nos modes de pensée, nos tactiques et nos éventuelles ambitions « impérialistes » à l'égard de son pays.

— Et alors ?

— Quand mes hommes et moi avons renversé le gouvernement, il y a eu des combats terribles, des centaines de morts. C'était une guerre de pauvres et c'étaient aussi des pauvres qui mouraient. (Il se tourna vers moi.) Alors, dis-moi, quelle sorte de guerre faut-il faire pour que les riches meurent ?

Le fait que les pays d'Europe et d'Amérique avaient soutenu les troupes d'Ibrahim Al-'Abbâs lors du putsch qui l'avait mené au pouvoir, quelques années plus tôt, était un secret de Polichinelle. Mais de nombreux gouvernements, bien qu'ils y trouvaient leur compte, n'en demeuraient pas moins nerveux et méfiants à son égard. Al-'Abbâs, en effet, partageait avec plusieurs leaders arabes qui l'avaient précédé la haine des Israéliens et se tenait sur la réserve envers les Américains, les Turcs et les nations d'ascendance perse en général. Lui aussi cherchait à développer un programme nucléaire visant à fabriquer des armes atomiques et tentait de rapprocher les Arabes dans le but d'une grande unification. Mais ce qui inquiétait davantage les Occidentaux était l'atout que possédait Al-'Abbâs sur ses prédécesseurs : un heureux mélange des forces de plusieurs d'entre eux. La férocité et la cruauté d'un Saddam Hussein, par exemple, le sens politique d'un Gamal Abdel Nasser et l'intelligence d'un Mu'ammar al-Kadhafi. Et Al-'Abbâs voyait son avenir grand comme tous les pays arabes réunis.

— Un jour, tu écriras ma biographie, dit-il en s'étendant de nouveau sur le sol.

Il avait employé un ton neutre, comme s'il s'agissait d'une évidence. Cela lui arrivait parfois afin d'éviter qu'on lui réplique par une question ou une négation. Il avait les yeux au ciel et son regard était projeté vers les étoiles, plus loin encore que la plus éloignée d'entre elles.

— Dis bien que le sang qui coulait dans mes veines n'était pas le mien ; c'était le sang de tous les grands hommes qui m'ont précédé. Tu diras que mon âme s'était liée à leur âme et qu'en moi vibraient les esprits de Saladin, Hammourabi, Gilgamesh...

Il se tut soudain, au milieu de sa phrase. Je savais qu'il avait failli poursuivre en mentionnant les noms de Marduk ou Enlil, les anciens dieux mésopotamiens. Mais cela aurait été faire offense à Allâh.

Alors, il choisit de se taire.

1

Pour Marie, il y avait l'horloge sur le mur d'en face; une grosse mécanique qui ne semblait plus marquer que les secondes. Tic... Tac... Tic... Tac...

Que les secondes. Les minutes et les heures, figées par l'ennui, dessinaient un « V » qui n'avait rien de victorieux.

Tic... Tac... Tic... Tac...

Pour Marie, il y avait aussi le reflet de son visage sur le chrome poli du comptoir: une épaisse chevelure brune et des lèvres trop gourmandes qui lui donnaient des airs à la Adjani; un nez retroussé surmonté de grands yeux noirs... une moue d'ennui. L'image était courbée par le contour du meuble, mais on devinait facilement la beauté de ses traits.

Tic... Tac... Tic... Tac...

Les coudes sur le comptoir, une épaule nonchalamment appuyée contre la caisse enregistreuse, elle sentit un désagréable frisson la parcourir et hérisser ses poils de la nuque aux talons. Elle maudit la pluie qui venait s'abattre contre la vitrine. Entre les mots « Cigarettes » et « Bière froide » qu'elle lisait comme dans un miroir, des gouttes aussi froides qu'énormes frappaient avec force.

Clac ! Clac ! Clac ! Clac !

... au milieu du vent qui cherchait lui aussi à imposer son autorité.

Hououououou... Clac ! Clac ! Clac ! Clac !

Et l'horloge semblait amplifier le bruit de son mouvement afin d'imposer, elle aussi, son environnement sonore.

Tic... Tac... Tic... Tac...

À travers l'image floue et sombre qu'était devenu le paysage, Marie revint en pensée à cette matinée triste de l'hiver dernier où elle avait pleuré. Comme à l'habitude, à la une des journaux qu'on venait de livrer, les grands titres rappelaient avec pessimisme l'état précaire de l'économie. On y retrouvait aussi les numéros gagnants de la loterie, le sommaire des principaux cahiers, un bref aperçu de la météo mais, ce matin particulier, en mortaise dans le coin inférieur, apparaissait la photo d'Ibrahim Al-'Abbâs, dictateur obscur d'un pays du Moyen-Orient. La légende parlait de son assassinat la veille par les membres d'un parti d'opposition.

Alors, elle pleura.

Un court communiqué au milieu des pages de nouvelles internationales, des agences Reuter et Associated Press, annonçait froidement et sans le moindre détail que « les circonstances entourant la mort du président tué d'une balle demeuraient pour l'instant inconnues ».

Elle parcourut tous les articles de tous les journaux, mais ne retrouva que le même texte des deux mêmes agences.

Elle sentit alors comme un grand vide se creuser en elle et pleura de plus belle.

Son univers vacilla quelque temps, puis l'hiver passa.

Les yeux légèrement humides, Marie revint au présent et retrouva pour consolation la pluie et son ennui. C'est à ce moment qu'elle aperçut la lumière d'une motocyclette qui approchait. Une seconde, elle admira le courage du conducteur de circuler au milieu d'une pluie pareille, puis constata qu'il s'agissait en fait d'une automobile dont l'un des phares était manquant. Celle-ci s'arrêta le plus près possible de l'entrée et un homme vêtu d'un long imperméable en descendit en courant. Marie remarqua qu'une deuxième personne était demeurée à bord.

Hououououououou...

Le vent parut hurler sa victoire au moment où la porte s'ouvrait et il souffla à l'intérieur toute la pluie qu'il lui était possible. Son triomphe fut bref, mais une partie du plancher fut inondée. L'homme martela le sol de ses pieds et secoua vivement les pans de son imperméable. Dans un geste qui parut artificiel, il plongea les mains dans ses poches et s'intéressa brièvement au réfrigérateur à légumes. Puis, d'un pas nonchalant, il se dirigea vers le comptoir.

— Vous êtes l'un de mes très rares clients aujourd'hui, lança Marie d'une voix qui cherchait à masquer son ennui. Il faut du cran pour sortir par un temps pareil.

L'homme ne répondit pas. Il s'arrêta face à la jeune fille et fixa sur elle un regard insistant. Il portait un chapeau de feutre au large bord, rabattu sur les yeux. La peau de son visage était sombre. Son nez fort surplombait une moustache noire taillée de façon impeccable. Ses lèvres étaient charnues, bien dessinées. Lorsqu'il ouvrit la bouche pour parler, ses dents apparurent blanches et d'un bel aspect.

— Cigarettes, dit-il simplement avec un accent que Marie ne put définir.

— Oui, bien sûr. (Elle leva la main vers les tablettes derrière elle et posa les doigts sur un paquet de couleur bleue.) Quelle marque voul ?...

— Celle-là.

Elle posa le paquet sur le comptoir et se mit à composer le prix sur la caisse enregistreuse. Bien qu'elle cherchât à l'ignorer, elle savait que le regard de l'homme était demeuré sur elle. Elle était habituée à cette forme d'insistance mais, sans trop savoir pourquoi, ce regard-ci la rendait davantage mal à l'aise.

Tic... Tac... Tic... Tac...

Sans un mot, l'homme tendit le montant exact d'argent affiché par la caisse et, dans un geste presque militaire, tourna les talons. Rapidement, il se dirigea vers la porte.

— Merci et bon séjour chez nous ! lança Marie.

Le pas de l'homme hésita à peine, mais la jeune fille s'amusa de l'étonnement qu'elle venait de provoquer chez lui. Un étranger, surtout s'il vient d'une grande ville, est toujours surpris de constater qu'on a deviné qu'il n'est que de passage. Dans une petite bourgade comme Rivière-aux-Orignaux où tout le monde se connaît et achète sinon la totalité, du moins une partie de son épicerie au petit dépanneur où travaille Marie, ce n'est pas un bien grand exploit de reconnaître les voyageurs.

Houououououou...

Les bras croisés dans l'espoir de réprimer les frissons qui la parcouraient, Marie s'approcha de la fenêtre afin de regarder le véhicule repartir.

Clac... Clac... Clac... Clac...

La pluie l'empêchait de distinguer les traits du second individu, mais elle remarqua son teint également foncé et sa moustache noire. La voiture démarra et se transforma rapidement en une timide lumière rouge au bout de la rue.

Tic... Tac... Tic... Tac...

— Alors, on espionne les clients ?

Marie sursauta violemment. Le garçon qui venait d'apparaître derrière elle se tenait bien droit, les jambes écartées, les bras croisés sur la poitrine. Il n'était guère plus âgé qu'elle. Des cheveux blonds soigneusement peignés, des yeux bleus, un visage frais rasé : un garçon splendide. Il était vêtu d'un jeans et d'un chandail de laine dont il avait roulé les manches jusqu'aux coudes.

— Et toi, mautadit ? répliqua la jeune fille en portant une main à son cœur, tu espionnes les employés ?

— Parfois.

Elle regagna l'arrière du comptoir et il s'accouda nonchalamment en face d'elle.

— Ça dépend de l'employé, reprit-il. Il y en a qui sont plus agréables que d'autres à épier.

— Je t'en prie, dit Marie avec une moue ennuyée, ce n'est pas le meilleur endroit pour me chanter la pomme.

— Précisément, je venais m'assurer que tu avais toujours envie de m'accompagner samedi soir au *party* de l'équipe.

— Je travaille samedi soir.

— Je peux arranger le coup avec mon père; il te trouvera une remplaçante.

Marie frottait nerveusement les doigts sur son front.

— Bruno, je ne suis pas certaine d'avoir envie de passer mon samedi soir à boire de la bière en compagnie de ta *gang* de hockey. Et puis, j'ai une répétition de théâtre dans l'après-midi, je n'aurai pas...

— Le théâtre ! Je t'en prie Marie, sois sérieuse. Tu perds ton temps avec une bande de *flos* du secondaire à monter un spectacle d'amateurs que personne ne viendra voir de toute façon.

Le visage de Marie sembla prendre une couleur plus vive.

— Je ne crois pas que tu aies le moindre droit de regard sur mes loisirs, Bruno.

Le garçon s'efforça de paraître indigné.

— Marie, tu connais mes sentiments à ton égard. Là, tu en profites pour dissimuler les tiens et créer autour de ta personne une forme de doux mystère romantique. C'est égoïste, ta façon d'agir, et ça me déçoit!

Le visage de la jeune fille parut se détendre et elle laissa échapper un petit rire.

— Mes amateurs, comme tu les appelles si bien, sont de loin meilleurs comédiens que toi.

Bruno, à son tour, sembla perdre patience.

— Cesse de m'ignorer, dit-il un ton plus haut, alors que tout le monde sait que tu es sortie avec des tas de gars beaucoup moins intéressants que moi.

— Eh bien, justement! répliqua Marie en élevant le ton à son tour. J'en ai plus qu'assez de me taper des idiots dans ton genre qui n'ont d'autres talents que de placer une rondelle dans le fond d'un filet ou de caler une grosse bière en des temps records! Désormais, je vais disposer de mes loisirs avec plus de circonspection. Maintenant, débarrasse-moi le plancher si tu ne veux pas que je te tombe dessus devant les clients!

Instinctivement, Bruno avait eu un mouvement de recul. Il demeura ainsi, interdit.

Puis, doucement, il fit quelques pas en direction de la porte donnant accès à la maison privée. Sa voix apparut hésitante, douce même.

— Tu as l'air... Tu as l'air à bout de nerfs, Marie. C'est vrai. Moi, je pense que tu es fatiguée. Je vais... Je peux en parler à mon père, si tu veux. Tu aurais peut-être besoin d'un congé.

Il disparut derrière la porte. Marie se rongea un ongle.

— Zut! songea-t-elle. J'avais bien besoin de ça, moi, m'engueuler avec le fils du patron. Si je perds ma *job*, où vais-je en trouver une autre?

La seule réponse lui parvint du mur d'en face.

Tic... Tac... Tic... Tac...

2

— Dis-moi que tu m'aimes !

Marie tourna le dos au garçon et sembla s'intéresser au vase qu'elle tenait dans les mains.

— Je t'en prie, insista-t-il, tu ne peux pas me laisser tomber ainsi après tout ce que nous avons vécu.

— Tu m'ennuies, Georges, répliqua-t-elle. Quitte cette maison avant que j'appelle quelqu'un.

Le garçon se prit la tête à deux mains, sembla chercher une formule qui saurait convaincre la jeune fille, puis, en proie à son désespoir, brandit un poignard.

— Alors, personne d'autre n'aura...

— O.K. ! O.K. ! Stop !

Marie venait de déposer le vase et s'adressait maintenant à une adolescente assise dans les premières rangées. Grande, nerveuse, celle-ci se leva pour se rapprocher de la scène en tirant de rapides bouffées de sa cigarette.

— Tu vois comment il faut utiliser l'objet ? demanda Marie. (L'adolescente acquiesça d'un rapide mouvement de tête.) Ça donne davantage l'impression que tu es indifférente aux tourments de ton prétendant. (Elle fit face ensuite au garçon près d'elle.) Bon, là, on va corriger un peu la façon d'aborder ce passage. (Quatre autres jeunes comédiens dissimulés derrière les rideaux s'avancèrent.) Tout d'abord, Richard : tu ne devrais pas porter les mains à la tête pour marquer ton désespoir ; ça fait trop... trop...

— Théâtral ?

La réplique provoqua un rire général.

— Ouais. C'est curieux à dire, mais c'est exactement ça. Nous sommes sur scène mais le public s'attend à ce que nous jouions comme si nous n'y étions pas. La gestuelle doit...

Le claquement de la porte d'entrée résonna dans la salle vide, interrompant la jeune fille.

— Bon, c'est qui, ça ? On m'a pourtant bien assurée que personne d'autre que nous ne devait avoir accès à l'audito, les fins de semaine. (Elle scruta la pénombre à l'arrière de la salle, mais ne put rien distinguer.) Suzanne, tu veux bien aller voir ?

— Bien sûr.

— Non, à bien y penser, j'y vais moi-même. Profitez-en pour rejouer le passage une fois de plus.

Elle descendit de scène et s'engagea dans une allée entre les fauteuils. Les répliques des comédiens reprirent derrière elle.

Elle marcha jusqu'au couloir menant à la billetterie et, comme elle traversait le hall d'entrée, aperçut un homme qui approchait lentement vers elle. Pas tellement grand, un peu maigre, il portait une veste quelconque et un pantalon défraîchi. Un des bords de son chapeau de tissu était relevé.

La première impression qui vint à l'esprit de Marie fut d'être en présence d'un Indiana Jones fatigué.

— Bonjour, monsieur. La salle est interdite au public les fins de semaine. Est-ce que vous cherchez quelqu'un ?

Il enleva son chapeau et dévoila une chevelure légèrement grisonnante, coupée très court. Un front plissé par une quarantaine avancée surplombait des yeux petits et sombres. Un nez un peu fort tirait un large trait vers une moustache brouillonne et des lèvres pâles. Des joues creuses faisaient ressortir davantage des pommettes déjà saillantes. Curieusement, ces traits d'une apparence rude donnaient au visage de l'étranger, une certaine beauté.

Sans qu'elle sache pourquoi, Marie sentit quelque chose remuer très loin au fond d'elle-même. Elle ressentait, à la vue de cet inconnu, une impression indéfinissable qui semblait vouloir l'envahir. La voix à la fois douce et forte parut accentuer son malaise.

— Peut-être, mademoiselle, répondit-il. Je cherche la petite Marie Blondin; on m'a dit que je la trouverais ici.

— C'est moi, dit-elle sans hésitation, comme par réflexe.

Un tic nerveux secoua le visage de l'homme et son regard se posa plus intensément sur la jeune fille. Ses traits se crispèrent et ses yeux, légèrement arrondis, semblèrent se couvrir d'une pellicule humide.

— Petite... Marie?

L'impression de malaise qui avait commencé à envahir Marie se fit plus insistante, mais elle ne parvenait toujours pas à la définir.

— Petite Marie? Bon Dieu! je suis Vincent.

— Vin... cent?

Cet homme si vieux, ces traits inconnus? Non, ça ne pouvait pas être Vincent. Le Vincent qu'elle connaissait, qu'elle avait connu, n'était pas aussi maigre, avait plus de cheveux, n'avait pas...

— Vin... cent ?

— Petite Marie ! Mais... tu es une femme !

Il ouvrit les bras et, bien que tout dans le cœur et l'esprit de Marie refusait de reconnaître cet étranger, tout en même temps la poussait à se jeter dans ses bras. Elle sentit des mains vigoureuses se refermer contre son dos tandis qu'elle-même nichait son visage contre la poitrine de l'homme.

Elle sentit la joue qu'il posait sur sa tête, les baisers qu'il donnait sur ses cheveux. Quand il relâcha son étreinte, elle pleurait aussi.

Pendant un long moment, ils demeurèrent l'un en face de l'autre, s'observant mutuellement, le visage de Marie dans les mains de l'homme. Même à travers le rideau humide qui nuisait à sa vue, la jeune fille reconnaissait maintenant tous les traits de Vincent. Plus aucun doute ne subsistait en elle et un flot de souvenirs s'acharnait à la secouer comme le feraient les vagues d'une mer agitée.

— Il y a si longtemps que je n'ai pas entendu quelqu'un m'appeler « Petite Marie ».

— Je croyais... En fait, je ne croyais pas qu'autant de temps s'était écoulé. Je m'attendais à retrouver une petite adolescente, presque une enfant. Je ne pensais pas... Bon Dieu! que tu es belle, Marie!

— Et moi, je pensais que tu étais mort. Quand j'ai vu ces titres dans les journaux, l'hiver dernier, où on annonçait l'assassinat d'Al-'Abbâs. J'ai bien cru... Oh! Vincent, quel bonheur de te revoir!

De nouveau, elle se blottit contre lui et, de nouveau, il l'étreignit fortement.

* * *

Il ne pleuvait plus depuis la veille, mais les gens restaient terrés chez eux comme s'ils n'y croyaient pas tout à fait. Il était près de vingt-deux heures et, dans le petit restaurant où seulement la moitié des tables avaient été occupées, il régnait maintenant une atmosphère tranquille propre aux dîneurs qui s'attardent. Retirés dans un coin discret, sirotant un dernier café, Marie et Vincent resplendissaient.

— Tu te souviens que je t'appelais « Ma petite abeille » ? demanda Vincent en riant.

— Oui, je me souviens, répondit Marie à son tour. J'étais friande de miel... et j'en avais toujours une tache sur les joues ou mes vêtements.

— Sans compter que des fois tu nous jouais dans les cheveux avec des doigts drôlement collants.

Ils éclatèrent d'un rire commun.

— Je n'en reviens tout simplement pas de voir combien tu es devenue une jolie femme, s'émerveilla Vincent. Je te jure, tu es probablement la plus belle femme que j'aie vue de toute ma vie. Tu étais déjà une belle enfant à onze ans, mais maintenant, je suis persuadé que tu pourrais exercer le métier de mannequin.

Elle sourit.

— Je l'ai été. Pendant deux ans à Québec, pour une maison spécialisée dans les vêtements pour jeunes filles. J'avais seize et dix-sept ans à l'époque. Je poursuivais mon secondaire en même temps ; ce fut catastrophique.

— Et tu es revenue ici ?

— Oui. Je ne pouvais plus supporter tous ces regards qui cherchaient à traverser mes jupes. Et puis, le rythme de vie était infernal. Ici, les parents d'une copine ont bien voulu m'offrir une chambre chez eux. Alors, je me suis trouvé des *jobbines* pour leur payer une pension. Ça m'a permis de terminer mon secondaire.

— Que comptes-tu faire à présent ?

— Je dois attendre encore un peu. J'aurai vingt et un ans l'an prochain, j'aurai donc droit aux montants d'assurances laissés par papa à sa mort. Je quitterai Rivière-aux-Orignaux pour aller reprendre mes études en ville. Les sciences politiques m'attirent. Tu sais... (Elle cligna de l'œil.) J'aimerais bien devenir journaliste comme toi.

Vincent posa le menton sur ses mains jointes. Non loin, une lampe suspendue marquaient les lignes de son visage d'un large trait jaune. Il fouilla un moment dans la poche intérieure de sa veste et en retira un paquet de gomme à mâcher.

— Ton père te manque? demanda-t-il en glissant dans sa bouche un petit carré vert.

Marie fit la moue et Vincent la sentit prudente, comme si elle avait peur de trop remuer l'intérieur de son être et réveiller un monstre terrible enfoui en elle-même.

— Tu ne peux pas savoir, dit-elle d'une voix mesurée. J'ai encore des moments où il me semble l'apercevoir, où il m'appelle... Oh! oui, Vincent, si tu savais comme il me manque!

— À moi aussi.

Elle sourit, éloignant les fantômes.

— Si tu avais épousé ma mère lorsqu'il est mort, tu aurais été un merveilleux beau-père.

Il sourit à son tour.

— Tu crois que j'étais le genre d'homme à épouser ta mère ?

— Non, je ne crois pas. Je ne crois pas qu'il existe un seul genre d'homme au monde pour épouser ma mère. (Elle baissa les yeux et chercha à dissimuler une certaine aigreur dans sa voix.) Tu sais qu'il y a maintenant six ans que je n'ai reçu aucune nouvelle d'elle ? Où est-elle ? Que fait-elle ? Mystère.

Elle prit une main de Vincent dans les siennes et il sentit toute la douceur de ce geste.

— Quand papa est mort, poursuivit-elle, je suis passée, en une seconde, du monde de mes onze ans à celui des adultes. Tout ce petit univers de douceur, de bonheur que papa et toi aviez créé autour de moi par votre amitié complice et votre présence continuelle à mes côtés s'est écroulé subitement, sans crier gare. (Elle ouvrit les doigts et laissa la main de Vincent.) Comme ça. D'un seul coup, mon monde avait basculé.

Son regard devint humide et se perdit beaucoup plus loin que le mur du restaurant qu'il fixait.

— Il était naturel pour moi de reporter tout cet amour sur toi. Toi que j'aimais presque autant que lui.

Vincent baissa les yeux et fit glisser distraitement un doigt sur le rebord de sa tasse.

— Cet ami perdu, plus rien ne m'attachait ici, tu sais. Alors, au bout de quelque temps, j'ai préféré partir.

— Si tu savais comme j'ai pleuré, Vincent. Perdre un père est une expérience atroce, en perdre deux vous fait friser la folie.

— Je suis désolé de t'avoir causé autant de...

— Mais non. (Elle passa une main sur sa joue.) Tu avais ta vie à vivre et tu n'avais aucun droit de m'arracher à ma mère. C'est elle, finalement, qui m'aura le moins donné. Ce n'était pas le genre à porter le deuil bien longtemps. Elle s'est trouvé une espèce de crétin qui n'avait d'yeux que pour ses gros seins et sa prime d'assurances. Un matin, je me suis retrouvée chez tante Hélène, la sœur de papa, et je n'ai revu ma mère qu'en photos, la première année, lorsqu'elle a pris la peine de m'envoyer deux ou trois lettres. Depuis...

Elle fit la moue et sa main dessina un geste vague dans l'air.

— Et mes cartes postales à moi ? Tu les recevais, au moins ?

— Oh ! oui, Mon Dieu, oui ! (De nouveau, son visage s'illumina.) À chacun de mes anniversaires en juillet et à chaque Noël. C'était comme si une grande brise fraîche se levait soudain dans un désert de feu. Tu disais peu de choses, mais il y avait tant de tendresse. Je les lisais et relisais des dizaines de fois, rêvant pendant des jours en regardant les photos. Je me disais : moi aussi, je serai reporter et je connaîtrai par leur nom tous les préposés de tous les aéroports du monde.

— Le métier de journaliste correspondant permet de voyager, c'est vrai, mais il n'est pas des plus faciles. Les souffrances dont nous sommes témoins dans les régions troublées du globe affectent même les plus endurcis. J'ai appris à reléguer loin derrière mon petit ego et j'ai dû surmonter souvent ma solitude. (À son tour, il prit la main de Marie dans la sienne.) Et, coupé de tout ce que j'avais connu, tu demeurais le seul lien qui me restait avec le passé.

— Chaque jour, je parcourais les journaux, cherchant ton nom au milieu des pages de nouvelles internationales, lisant tout ce qui était de l'Agence France-Presse. Même sans tes cartes postales, j'aurais su que depuis trois ans, tu n'as pas beaucoup quitté le Moyen-Orient.

— C'est vrai. J'avais conclu un accord avec Ibrahim Al-'Abbâs, le président. À l'époque, lors d'une entrevue télévisée sur une chaîne anglophone de la capitale, j'avais fait une sortie en règle contre le Front de Libération, la branche armée du P.P.L., le Parti du Peuple Libre, l'opposition au gouvernement militaire ; opposition illégale, il va sans dire. Il y avait eu une action terroriste en plein jour de marché. Une douzaine de femmes et d'enfants avaient été littéralement déchiquetés par l'explosion d'une bombe. On retrouvait des membres dans toutes les directions. Le soir, alors que je décrivais en direct toutes ces atrocités, une grand-mère a reconnu le corps de sa fille et de son petit-fils, juste derrière moi. Prise d'hystérie, elle s'est mise à hurler alors que le réseau conservait notre image à l'antenne. J'ai craqué. J'ai pris cette femme dans mes bras et je me suis mis à vociférer face à la caméra. Je m'adressais aux terroristes, je savais qu'ils devaient écouter le bulletin quelque part dans leur repaire. Et je leur ai craché ma haine... en anglais, en arabe et en français. (Il sourit tristement.) Et, pendant tout ce temps, la femme continuait de se débattre contre moi.

— Tu as dû signer ton arrêt de mort ?

— Je crois, oui. Cependant, Al-'Abbâs écoutait le bulletin. Il me connaissait un peu, je l'avais déjà interviewé. Il m'a offert sa protection et tous les scoops du gouvernement ; en échange, je fermais les yeux sur certains aspects douteux de son administration et sur la corruption des fonctionnaires. Je crois qu'il m'aimait bien et, en plus, depuis ce reportage mémorable, j'avais acquis la sympathie de la classe moyenne, c'est-à-dire la classe qui risquait le plus de devenir favorable au P.P.L. lors d'un éventuel soulèvement populaire.

— Il y trouvait son compte, finalement ?

— Bien sûr, mais moi aussi. Ça me permettait de continuer à dénoncer les actions terroristes sans que j'aie à me soucier de protéger mes arrières. Et puis, ma renommée internationale en tant que journaliste s'est retrouvée sacrément grandie lorsque je me suis mis à battre de vitesse tous mes collègues lors des actions militaires du gouvernement contre les bases du Front ou lors de prises de décisions administratives importantes. J'avais toujours les meilleurs renseignements, les plus complets, et une journée avant tout le monde. J'ai créé un bon remous de jalousie. Certains m'ont accusé de manquer d'éthique professionnelle en ne parlant pas des erreurs souvent grossières que le gouvernement faisait dans l'administration du pays. Mais ces détails n'ont pas pesé lourd sur ma conscience. Je devais protéger mes sources et, de toute façon, je voulais que prime l'information sur les horreurs commises régulièrement par les terroristes.

— Et tu t'entendais bien avec Al-'Abbâs ?

Il but une longue gorgée de café avant de répondre comme s'il cherchait à bien peser ses paroles. Marie soupçonna une tactique qu'il avait dû apprendre des politiciens.

— On jouait ensemble au tennis et aux échecs, qui était une de ses passions. C'était comme une bonne relation, disons, d'affaires.

— Sa mort t'a affecté ?

L'expression dans le regard de Vincent devint fuyante et soudain un tic au niveau des sourcils vint trahir un nouveau malaise.

— J'ai dû quitter le pays parce que ma tête était mise à prix par les opposants au régime, dit-il sans répondre à la question. Mais je songeais depuis un moment déjà à revenir au Québec. Les événements n'ont fait qu'avancer mon départ de quelques semaines. Je veux écrire un livre.

— Vraiment ? Voilà qui est excitant ! Et ça parlera de quoi ?

Il s'amusa de la curiosité qui rendait les yeux de Marie encore plus brillants.

— Du Moyen-Orient, bien sûr. J'ai tant à raconter sur mon expérience là-bas. J'y ai vu tant de choses qui ne peuvent s'écrire dans un simple article de journal. (Il hésita un moment, puis poursuivit.) J'ai aussi des photos extraordinaires, inédites, et des documents qui vont déranger bien des politiciens en Occident, mais... (Il posa l'index sur ses lèvres.) Motus.

3

L'atmosphère de la brasserie était devenue si enfumée que les faisceaux des lasers semblaient avoir peine à se frayer un passage. Leur ballet frénétique et coloré marquait le rythme d'une musique endiablée dont le niveau sonore atteignait la limite du supportable. C'était l'un des trois ou quatre bars de Rivière-aux-Orignaux, celui que les adolescents, en âge ou non de consommer, fréquentaient en plus grand nombre. Tous les samedis soirs, la salle était rapidement bondée et ça devenait une véritable gymnastique que de se faufiler au milieu des tables et des danseurs.

Dans un coin sombre, trois garçons s'étaient regroupés autour d'une table ronde où Bruno fêtait déjà bruyamment en compagnie de deux adolescentes. Les six copains avaient englouti des quantités considérables de bière alors que la fête semblait à peine avoir débuté. Ayant abandonné son veston, Bruno avait roulé les manches de son tee-shirt de façon à dégager ses gros biceps. Les filles à son côté n'y étaient pas insensibles et il y prenait un réel plaisir.

— Au meilleur marqueur de la ligue ! lança l'une d'elles en levant son verre.

— Au meilleur marqueur ! répéta en écho l'un des garçons qui en profita pour exhiber la plaque que l'on avait remise à Bruno, deux heures plus tôt.

Chacun vida son verre d'un trait. Les goulots des bouteilles recrachèrent leur contenu.

— Au joueur le plus utile à son équipe ! lança à son tour la seconde jeune fille.

— Au plus utile ! répéta un autre garçon qui exhiba une seconde plaque. À notre grand *chum* !

Les six coudes se levèrent de nouveau dans un synchronisme étonnant. Bruno, après un petit mouvement de tête pour repousser les mèches qui commençaient à tomber sur ses yeux, se leva à demi et lança :

— À Marie Blondin !

L'éclat de rire fut général.

— La salope ! poursuivit-il en se rasseyant et en portant le verre à ses lèvres.

— Ouais. À la fraîche chiée ! renchérit l'une des filles qui but à son tour.

D'un geste vif, Bruno fracassa son verre

sur la table en jurant.

— Non, mais ça m'écœure que cette vache-là s'entête à refuser mes avances !

Il y eut un léger moment de malaise, quelques têtes se tournèrent vers leur table, puis l'une des adolescentes se pendit au bras du garçon pour tenter de le calmer.

— Arrête de penser à cette fille-là, Bruno. Elle, elle s'imagine que parce qu'elle a déjà été mannequin on n'est pas assez bien pour elle. C'est rien qu'une fille parmi toutes les autres filles, finalement. Nous autres, Line pis moi, tu peux nous avoir quand tu veux.

La seconde adolescente se saisit de l'autre bras de Bruno. Son état d'ébriété paraissait le plus avancé de tous. Elle balbutia en crachant une averse de postillons.

— Et toutes les deux en même temps si tu veux.

Bruno eut un mouvement des épaules pour se libérer de l'étreinte des filles.

— Non ! Vous comprenez pas. C'est la première fois que ça m'arrive qu'une fille veut rien savoir de moi. C'est ça que j'ai de la misère à me mettre dans la tête. Je ne suis pas habitué à me faire dire non et je ne le prends pas.

L'un des garçons, plus grand et gros que

ses compagnons, mais beaucoup moins athlétique, se renversa sur le dossier de sa chaise.

— Y a jamais une fille qui t'a refusé ?
s'étonna-t-il.

— Jamais, gronda Bruno sans même lever
les yeux.

— Tabarnac, plains-toi pas ! Moi, ce serait
plutôt le contraire : c'est quand une fille me
dit oui que je viens dans tous mes états.

L'adolescente nommée Carole éclata d'un
rire vulgaire.

— Ça, c'est facile à comprendre,
Marceau. T'es-tu vu la face pis le tour de
taille ?

— Mange donc un char, toi, p'tite
putain !

— Arrêtez de vous chicaner, tempéra un
autre garçon dont une longue mèche blonde
pendait jusque sur sa joue ; vous allez nous
casser le *party*.

— Il faut que je saute Marie Blondin,
sinon je vais en faire une maladie, insista
Bruno, la voix en partie couverte par la
musique, le regard rivé sur la table.

Il semblait s'adresser davantage à lui-
même qu'à ses compagnons. Le gars à la
mèche blonde déplaça sa chaise afin de se
rapprocher de lui.

— Écoute, Bruno, si c'est justement la seule qui ne s'intéresse pas à toi, pourquoi tu perds ton temps à rêver d'elle ? Je ne comprends pas ton problème. Si tu as une pareille envie de vider ton... trop-plein, choisis Carole, ou Line, ou n'importe quelle autre qui attend juste que tu lui fasses un signe.

Bruno leva sur son compagnon un visage atone.

— C'est précisément ça le problème, mon Ti-Guy : elles attendent mon signe alors que l'autre m'ignore complètement. (Sa voix monta d'un ton.) J'arrive pas à l'admettre, tu comprends ? Ça me frustre comme c'est pas possible. Son corps me rend fou, sa petite gueule me rend fou ; je pense à elle continuellement, je... (Il eut un geste vague des mains, un geste exprimant son impuissance.) Je ne sais plus quoi faire, quoi dire pour la convaincre. C'est sûr qu'elle doit faire semblant, qu'elle attend le moment où elle aura l'impression de mener le jeu à sa guise, j'sais pas. Sacrament, j'ai besoin d'idées ! Que quelqu'un m'arrive et me dise comment je dois procéder avec elle.

— T'as pas pensé de la payer ? lança Carole en éclatant d'un rire trop fort.

— Ou de la violer ? renchérit Claude, le quatrième garçon du groupe.

— Ouais, ce serait peut-être une bonne idée, ça, approuva Marceau. On pourrait même s'y mettre à la *gang*, comme ça, même moi, je pourrais contempler le cul de Marie Blondin.

— Ça lui ferait du bien à la fraîche chiée que quelqu'un la rabatte un peu à notre niveau.

— Arrêtez de dire des conneries, protesta la mèche blonde en jetant un regard circulaire sur ses compagnons. La Blondin est peut-être une fille que vous trouvez antipathique, mais c'est pas une raison pour aller lui donner de la marde. Bon, Bruno a envie de se la faire, c'est son problème. (Il posa une main sur l'épaule de son copain.) Il réussira à la convaincre, j'en suis persuadé. Il l'a dit lui-même, y a pas une fille qui lui résiste. Si c'est pas à soir, ce sera un autre soir, tant pis. Nous autres, on se sacre de la Blondin et on continue à prendre un coup.

Bruno garda ses yeux fixés sur Ti-Guy. L'alcool y avait déposé une pellicule humide dans laquelle baignaient ses membranes rougies.

— Je veux me payer Marie Blondin, à soir !

La mèche blonde se redressa en tapotant nerveusement les uns contre les autres les doigts de ses deux mains. Son visage prit une expression sérieuse.

— Tu vas faire une bêtise, Bruno.

— Quoi ? Quelle bêtise ? (Il pointa le menton en direction d'une jeune fille accoudée au bar.) Tu vois la Tremblay, là-bas ? Je l'ai sautée trois fois. Les trois fois, elle avait dit non. Mais il suffisait que je glisse mes mains dans sa blouse pour qu'elle se mette à hurler de plaisir. (Il se mit à parler sans desserrer les dents.) Qu'est-ce que tu crois, sacrament ? Les filles qui disent non, c'est soit qu'elles jouent un jeu ou soit qu'elles savent pas qu'elles en ont envie. Alors, il faut prendre les décisions pour elles !

— C'est vrai, ça, renchérit de nouveau Claude. Je le sais, moi, j'ai trois sœurs et y en a pas une des trois qui aime pas ça se faire taponner un peu. Ce qui arrive avec les fraîches chiées, c'est qu'elles font semblant qu'elles veulent pas pour pas montrer combien elles aiment ça. C'est des hypocrites !

Ti-Guy parut stupéfait. Il s'adressa aux deux adolescentes.

— Pis vous autres, les filles, vous dites rien ? Vous êtes d'accord avec ça ?

Carole, les paupières alourdies par l'alcool, leva difficilement les yeux vers lui. Le demi-sourire qu'elle esquissa la fit paraître encore plus bête qu'à l'accoutumée.

— Ben, moi, j'sais pas trop. C'est sûr que me faire prendre de force par Marceau, ça m'écœurerait, mais par Bruno...

— Pis toi, Line ?

La jeune fille, pratiquement saoule, ne réagit pas. Elle ne se rendait même pas compte que le garçon s'adressait à elle. Claude agita frénétiquement son épaisse barbe noire.

— Moi, la Blondin, je lui ai déjà demandé de sortir avec moi pour un soir, pis elle m'a dit non. Une demi-heure après, je la voyais partir avec Ti-Guy. Moi, je crois que t'as raison, Bruno ; les filles, c'est pas parce qu'elles disent non qu'elles veulent pas. Si j'avais insisté, peut-être que c'est moi ce soir-là qui serais parti avec Marie Blondin pis pas un autre.

Un large sourire fendit le visage de Bruno. Il donna une claque dans le dos de Ti-Guy.

— Ah ! Ah ! Tu l'as déjà sautée, mon cochon ! C'est pour ça que ça te travaille de me voir tourner autour ; tu voudrais pas qu'après avoir goûté de ma médecine personnelle, la Marie trouve la tienne un peu fade.

— J't'en prie, Bruno, ç'a rien à voir. Il est question de faire quelque chose d'illégal. Un viol, c'est grave.

Bruno approcha son visage de celui de son compagnon.

— Y a rien d'illégal à démontrer à Marie Blondin tout le plaisir dont elle se prive, consciemment ou non. Je te jure... (D'un geste viril mais amical, il passa son bras autour du cou de Ti-Guy.) Je te jure qu'il n'y aura rien d'illégal parce qu'il n'y aura pas de plainte. La Blondin y trouvera tellement de bonheur qu'elle en redemandera.

Ti-Guy repoussa le bras de son compagnon et se leva. Il hésita un moment, puis, d'un air renfermé, en posant les yeux tour à tour sur chacun des adolescents assis à la table, il parla d'un ton résigné.

— Peu importe ce qui vous trotte dans la tête, ce que vous déciderez de faire, je pars et je ne suis au courant de rien. Je suis prêt à vous suivre dans bien des actions stupides, mais pas celle-là. Maintenant, fâchez-vous pas, mais je vais aller poursuivre ma veillée ailleurs.

Il fit un pas pour quitter le groupe, mais la main de Bruno se referma sur son poignet. Ce dernier l'obligea à se pencher vers lui.

— Comme tu viens si bien de le dire, Ti-Guy, t'es au courant de rien. Comme nous, on n'est pas au courant de la façon dont tu peux te payer tes belles guitares, juste en vendant de la farine dans les toilettes des bars, les fins de semaine. Ça aussi, ça pourrait paraître illégal, pis grave.

Ti-Guy gloussa discrètement, mais ne répliqua plus. Il s'éloigna sans se retourner et entendit les rires reprendre derrière son dos.

* * *

Des lumières jaunes posées au sommet de petits poteaux de métal éclairaient un parterre sobre. La maison, semblable à toutes les autres maisons de la rue, était d'un style simple et sans apparat. « Caractéristique des compagnies minières et forestières, songea Vincent. Des constructions en série pour loger les familles de leurs employés. »

— C'est donc ici que tu habites ? demanda-t-il.

Marie hocha la tête.

— Tu veux entrer ? Peut-être que les parents de ma copine ne sont pas encore couchés. Je pourrais te...

— Non. (Il plissa le nez.) Une autre fois, peut-être. Pas ce soir.

Elle acquiesça d'un petit sourire nerveux. Posant une main sur la poignée de la portière, elle se tourna vers lui, hésitante. Elle vit qu'il avait appuyé les bras sur le volant et le menton sur ses mains. Son profil se découpait sur le fond sombre des arbres à l'extérieur et elle le trouva beau. Un regard un peu troublé, certes, des traits fatigués... mais elle décelait en lui une force, un pouvoir qu'elle n'avait jamais trouvés chez les autres garçons qu'elle connaissait. N'était-ce que l'expression de la maturité qui se dégageait d'un homme de son âge ? Elle n'aurait su dire, mais elle sentait grandir en elle un trouble nouveau qui sembla l'inquiéter.

— Quand repars-tu ? demanda-t-elle d'une voix moins assurée.

— Je ne sais pas, répondit-il en continuant de fixer le paysage devant lui. Je ne sais même pas encore où je vais résider au Québec. Tout ce que je possède tient dans le coffre de cette voiture. Je suis revenu à Rivière-aux-Orignaux pour voir si cela avait beaucoup changé, pour renouer un peu avec le passé... et puis, pour te voir, bien sûr. Mais après... je ne sais pas. Je ne demeurerai pas ici, c'est certain.

— Demain, c'est dimanche, je ne travaille pas. Tu peux venir quand tu veux.

Il se tourna vers elle.

— Alors, à demain, ma petite abeille. Je passe te prendre dès le déjeuner et on aura toute la journée pour nous deux.

Elle sourit et ouvrit la portière.

— D'accord.

— Et, dis-moi...(Il fouillait dans sa poche intérieure.) Tu sais où je peux trouver de la gomme à cette heure ?

Elle s'amusa à plisser les yeux pour accentuer une expression perplexe.

— Qu'est-ce que c'est que cette manie de mâcher tout le temps ? Attends, je dois en avoir dans mon sac.

— C'est une habitude que j'ai prise lorsque j'ai cessé de fumer, il y a trois ans. J'ai trop souffert du manque de cigarettes, je n'ai pas l'intention de me priver de mâcher.

Marie lui tendit un petit paquet défraîchi.

— Tiens, c'est tout ce que j'ai.

— Ah ! non, merci, pas cette marque, je l'ai en horreur !

— Vous voilà bien difficile, monsieur, pour quelqu'un qui ne veut pas se priver de mâcher.

— Arrête de te moquer et dis-moi où je peux en trouver à cette heure-ci.

Elle regarda sa montre.

— Eh bien, si tu te dépêches, tu peux encore arriver avant la fermeture du petit dépanneur où je suis employée. C'est celui devant lequel nous sommes passés juste au coin de la rue là-bas.

— Très bien. Alors, je te jette dehors et à demain.

— À demain.

Elle se pencha vers lui et l'embrassa sur la joue.

— Ta barbe pique toujours autant ! lança-t-elle en sortant de voiture.

À travers le pare-brise, elle le vit lui tirer la langue et cette simple gaminerie ramena en elle une vague de nouveaux souvenirs. Des souvenirs de jeux et d'espiègleries que, patiemment, Vincent partageait avec l'enfant qu'elle était. Il avait dû beaucoup l'aimer et le souhait que formulait maintenant son cœur était qu'il l'aime encore au moins autant.

Elle attendit que la voiture ait disparu au coin de la rue avant de se décider à chercher les clés dans son sac. Elle avança vers la porte d'entrée et, au moment où elle pénétrait dans la pénombre du porche, une silhouette apparut à ses côtés.

— Bonsoir, Marie.

Elle sursauta violemment et laissa tomber ses clés sur le sol.

— Bruno ! Espèce de... Espèce d'imbécile ! (Elle porta une main sur sa poitrine et sentit son cœur battre contre sa paume.) Bon Dieu !

c'est pas des farces à faire, j'aurais pu... j'ai failli perdre connaissance.

— Je croyais que tu travaillais ce soir.

Il s'était déplacé d'un pas de côté, bloquant l'accès à la porte. Vêtu d'une veste de cuir et d'un jeans, il avait croisé les bras sur son torse et se donnait une allure machiste. Marie fit semblant de ne pas le remarquer.

— C'est vrai que je devais travailler ce soir, dit-elle en ramassant ses clés, mais quelqu'un a fait remarquer à ton père que j'avais plus de vingt heures de travail accompli cette semaine et il s'est empressé de me trouver une remplaçante.

— Je croyais que tu profiterais de ce généreux congé pour m'accompagner au *party*. Curieusement, je viens de te voir en compagnie d'un homme qui m'a paru trop vieux pour toi.

La mauvaise humeur commençait à gagner Marie et elle éleva la voix d'un ton.

— Primo, ce n'est pas tes oignons ; secundo, je n'ai pas eu envie une seule seconde de me rendre à ce foutu *party* avec toi. Et maintenant, tu vas me faire le plaisir de te « tasser » un peu que je fourre cette damnée clé dans la serrure.

Le garçon ne bougea pas.

— Pas avant que tu ne m'aies embrassé.

La jeune fille soupira bruyamment et pointa ses clés à la hauteur du nez du garçon.

— Tu empestes l'alcool et tu dis des bêtises. Alors, tu t'enlèves de mon chemin ou j'ameute les voisins.

Ce ne fut ni une ombre, ni un bruit qui la firent se retourner brusquement, mais un regard furtif que Bruno jeta derrière elle. Elle n'eut pas le temps de réagir davantage. Une main ferme se posa contre sa bouche tandis qu'un bras puissant l'enserrait à la taille. Elle tenta de se débattre, de hurler, mais la poigne était solide. Elle sentit qu'on la levait de terre et constata avec horreur qu'on l'entraînait vers les bois derrière.

* * *

La jeune fille au comptoir était si rousse que sa tête paraissait enflammée. Dans son visage abondamment tacheté, deux yeux d'un bleu très pâle ressemblaient à de petits blocs de glace perdus dans une mer de feu.

— À quelle heure entrent les journaux, le matin ? s'informa Vincent en s'approchant du comptoir.

— Oh ! de très bonne heure ! répondit la jeune fille en écarquillant les paupières. En tout cas, les journaux qui arrivent de Québec; on les reçoit sur les petites heures. Les journaux de Montréal comme *La Presse*, par exemple, arrivent plus tard dans le courant de l'avant-midi.

— Et vous recevez le magazine, *Le Monde arabe*?

— Heu... Celui-là, j'sais pas, mais on a tous les autres comme *Le Lundi* ou le *7 jours*.

— Oui, bon, on verra. Vous avez de la gomme?

* * *

Marie sentait contre son dos le froid et l'humidité de la végétation sur laquelle on l'avait couchée. Un garçon avait posé les pieds sur ses épaules afin de lui emprisonner la tête. Ses poignets étaient également retenus au-dessus d'elle, rendant impossible toute résistance. À son côté, un autre garçon continuait de maintenir une main sur sa bouche, l'empêchant d'émettre le moindre son, la faisant suffoquer presque.

Et puis, Bruno. Debout droit devant elle, plus grand que nature. Elle le voyait comme elle voyait les ogres dans ses cauchemars d'enfant. Un monstre sans merci devant lequel elle se retrouvait totalement impuissante. Mais cette fois, le cauchemar était réel et le monstre s'apprêtait à la dévorer.

Quand elle sentit les mains énormes se poser sur sa poitrine, Marie se cabra comme si on venait d'y appliquer un tison des plus rouge.

* * *

— Ah! non, pas la marque à Marie! lança Vincent en riant. Je la trouve abominable.

— Oh, excusez-moi, répliqua la petite rousse, confuse, en replaçant le paquet dans la boîte. C'est un réflexe. C'est la marque la plus vendue, ça fait que quand quelqu'un me demande...

— Donnez-moi celle à côté, à saveur de menthe.

Elle s'empressa de s'exécuter.

— Voilà.

— C'est très bien, répliqua Vincent en prenant un air exagérément sérieux. À l'avenir, lorsque je reviendrai vous voir pour de la gomme, souvenez-vous que c'est cette marque-ci qu'il faudra m'offrir.

— Je vous le promets, dit la jeune fille en riant. (Elle inscrivit un montant sur la caisse enregistreuse.) Comme ça, vous connaissez Marie?

— J'étais le meilleur copain de son père ;
alors, Marie, pour moi, c'est un peu de la
famille.

* * *

Marie pleurait. Des larmes à la fois de rage
et de douleur. Des larmes qui se voulaient des
cris, mais que personne n'entendait.

Bruno s'était acharné à lui arracher ses
pantalons et elle se retrouvait nue, désespérément nue, dans une position que jamais elle
n'aurait pensé trouver humiliante. Et ces
mains, visqueuses, sales et mauvaises, qui parcouraient sa chair, la palpaient, la brûlaient,
et se posaient là, là, où seules pouvaient se
poser les mains d'êtres aimés.

— T'aimes ça, hein, ma vache ?

La voix de Bruno était comme une
brûlure supplémentaire, un glaive qui la
transperçait jusque dans son âme.

— Dis, dis que t'aimes ça. Je l'sais que
t'aimes ça, mais tu l'diras pas. T'as couché
avec à peu près tous les gars de l'équipe et tu
fais la fine gueule avec moi. Mais je l'sais que
t'aimes ça pareil ! Hein ? Dis-le que t'aimes
mes caresses !

Marie tentait de fermer son esprit mais,
tout son univers n'était plus qu'une voix, une

voix proférant des mots horribles, et des mains qui fouillaient son corps pour en arracher les entrailles.

* * *

— En tout cas, vous êtes plus sympathique que les amis de Marie qui sont venus aujourd'hui.

— Ah?

Vincent remettait la monnaie dans sa poche. La petite rousse se pencha vers lui.

— Deux drôles de bonshommes qui la cherchaient cet après-midi. Moi, je leur ai dit de venir ce soir parce que j'savais pas encore que j'devais la remplacer. Ça fait que quand ils sont arrivés pis qu'ils m'ont vue à sa place, il y en a un qui m'a jusque engueulée.

— Pas très gentils en effet, dit Vincent en retournant vers la porte.

— Et ils parlaient même pas un français correct, à part ça. Ils parlaient avec un accent marocain.

Vincent stoppa net.

— Marocain?

— Ouais. J'vous dis ça parce que j'ai une copine qui sort avec un Marocain dans le village à côté, pis y parle exactement avec c't'accent-là.

— Vous voulez dire arabe ? demanda Vincent en revenant vers le comptoir. Ils parlaient avec un accent arabe ?

— Ben, j'sais pas. Ça parle arabe, un Marocain ?

* * *

Et Marie vit la bête ! Énorme, tumescente, monstrueuse ; avec une tête rouge, boursouflée de sang, affamée de chair. Elle frétillait, palpitait, comme animée de sa vie propre, comme un ennemi supplémentaire à qui Marie devait faire face.

Elle glissait sur son visage, ses joues, ses paupières. La moiteur de la bête collait à sa peau et Marie sentait son venin pénétrer dans ses pores, envahir l'intérieur de son être.

La bête puait. Elle vivait et puait. Quand elle passa directement sous les narines de la jeune fille, son estomac réagit violemment.

* * *

Vincent allait sonner à la porte de la maison lorsqu'il vit les clés sur le sol. Son cerveau noya son cœur dans un véritable flot d'adrénaline. Aussitôt, il se pencha vers le sol dans l'espoir de retrouver des traces de lutte et repéra des morceaux de pelouse retournés et des marques de talons sur une petite allée de terre humide.

Quand il entendit un son rauque venir de la lisière du bois tout près, ses jambes devinrent fusées.

* * *

Marie venait de vomir dans la main de celui qui la réduisait au silence. Par réflexe, le garçon avait libéré sa bouche, mais elle ne parvint pas à crier. Elle chercha l'air, la force dont ses poumons avaient besoin, et ne trouva qu'un corps désespérément vide d'énergie. Il ne lui restait que des larmes et c'était bien peu pour combattre un ogre et une bête. Alors, elle ferma les yeux et pria pour mourir.

La bête glissait maintenant sur ses cuisses et remontait lentement mais fermement, en direction de son pubis. Les dents serrées, Marie attendait.

Le bruit sourd qui se fit entendre n'attira pas forcément son attention car tout ce qui était inhabituel dans cet univers de cauchemar lui paraissait la norme. Mais lorsque le corps de l'un des garçons s'écroula sur elle et que l'étreinte autour de ses poignets se relâcha brusquement, elle ouvrit les yeux.

À travers la brume de sa douleur, dans l'image floue que renvoyaient ses larmes, l'ogre et la bête étaient toujours là. Mais ni l'un ni l'autre ne bougeaient plus. Il y eut un long moment d'immobilité, ou peut-être ne fut-ce qu'une seconde, puis l'ogre recula d'un pas, levant la main comme pour supplier. Surgie du néant, une forme sombre passa au-dessus de Marie en poussant un hurlement de rage. Dans cette violence qui semblait ne plus vouloir finir, elle vit tournoyer un gourdin et entendit des os craquer. L'ogre s'écroula au sol tandis qu'un homme s'abattait sur lui en le frappant de son poing.

Alors, elle cria. Tout d'abord, sans savoir pourquoi. Pour crier. Pour se libérer de l'horreur, de ce mucus qui l'enveloppait.

Avec plus de force qu'elle n'aurait imaginé en posséder, elle repoussa le corps du garçon qui gémissait sur elle. À genoux, elle poussa un autre cri, celui-ci presque de victoire, de vengeance furieuse et de haine pure. Et sa tête revint et elle cria un nom.

— Vincent !

Il frappait. Penché sur un Bruno inerte, le poing à chaque fois porté loin derrière, il frappait. À son tour, les yeux hagards, il était le monstre sans merci. Et il frappait. Parfois au sol, parfois au thorax du garçon, mais avec fureur, et chaque fois qu'il atteignait le visage, le sang éclatait en étoile.

— Vincent, arrête ! Tu vas le tuer !

Devenu sourd, l'homme frappait. Épuisé, les jointures ensanglantées, il frappait. Les coups s'espaçaient, perdaient de leur force, mais la rage qui semblait l'animer commandait de frapper toujours et davantage.

— Vincent, arrête !

Marie le saisit à bras-le-corps et, usant de son poids, s'arc-bouta vers l'arrière pour le renverser avec elle. Ils roulèrent dans la mousse humide.

— Tu vas le tuer, Vincent, sanglota-t-elle, le visage enfoui dans son cou. Tu vas le tuer.

— Mon abeille. (Il s'était retourné, les yeux encore brillants de rage. Il la serra contre lui comme on serre un enfant.) Ma petite abeille.

Elle vit les trois garçons ensanglantés se lever péniblement.

— Emmène-moi, je t'en prie. Emmène-moi avec toi.

4

— « Et le combat cessa, faute de combattants. » Tu connais ?

Al-'Abbâs ne me regardait pas. Les coudes appuyés sur les cuisses, il contemplait, résigné, les quatre ou cinq pions qui demeuraient sur l'échiquier. Nous avions disputé cette partie à un rythme infernal, prenant à peine le temps de calculer nos coups. Il en résulta un véritable « massacre » où nous engloutissions, tour à tour, les pièces de l'adversaire.

— Shakespeare, je crois, répondis-je en m'étirant. Ou Corneille, peut-être ; je ne me souviens plus très bien où j'ai déjà lu ce passage.

Al-'Abbâs cambra le dos.

— Corneille, bravo ! *Le Cid.*

Il se leva et se dirigea vers son bureau. Ce jour-là, il portait un tee-shirt kaki ainsi que des pantalons de combat. Il avait chaussé de hautes bottes militaires et, à sa ceinture, pendait l'étui d'un revolver chargé à bloc.

Comme d'habitude, ses cheveux étaient soigneusement peignés et son visage, frais rasé.

Il prit une boîte à cigarettes qu'il me tendit. Comme toujours, je levai la main pour refuser et fouillai dans mes poches pour trouver un paquet de gomme à mâcher. Al-'Abbâs alluma une *Winston* avec un briquet et tira quelques volutes de fumée bleue.

— Ah ! *Le Cid* ! reprit-il. Comme j'aime ces personnages sans faiblesse. (Il se tourna vers la porte et appela l'un de ses officiers.) Atef !

Un jeune capitaine entra aussitôt.

— Atef, tu voudras bien apporter... (Il cligna de l'œil) une bouteille de jus d'orange.

Sans expression, l'officier s'inclina et disparut. À peine trente secondes plus tard, il réapparaissait en présentant une bouteille de vodka. Al-'Abbâs s'en empara et s'informa de l'arrivée de son état-major.

— Ils sont presque tous là, répondit Atef. Encore dix minutes et vous pourrez commencer.

— Bon, dix minutes, ça me va. Laissenous seuls et assure-toi que personne ne vienne nous déranger.

— À vos ordres !

L'officier salua d'un geste impeccable et ressortit. Nous entendîmes ses talons claquer lorsqu'il se plaça au garde-à-vous derrière la porte.

— Pour un musulman, Ibrahim, je vous trouve un peu porté sur le jus d'orange, plaisantai-je.

Il rit en nous versant chacun un verre.

— Je n'ai surtout pas de leçon à recevoir d'un chrétien, plaisanta-t-il à son tour. Je ne crois ni en Dieu ni au diable. (Il leva son verre vers moi.) Le pape non plus, paraît-il.

Il but d'un seul trait et se versa un nouveau verre en se dirigeant vers son bureau. Pendant que je buvais à mon tour, je le vis ouvrir un tiroir fermé à clé et en retirer un petit dossier qui me parut dissimulé sous tous les autres. Un instant songeur, Al-'Abbâs le caressa du bout des doigts avant de revenir vers moi.

— Vincent, dit-il d'une voix redevenue sérieuse, j'ai ici, pour toi, quelque chose de très spécial : des documents d'un intérêt capital, et je t'avoue que j'ai longtemps hésité avant de t'en parler.

Ma curiosité de journaliste fut piquée au plus vif.

— Des documents ?

Il s'assit près de moi afin de pouvoir baisser le ton jusqu'à chuchoter presque.

— J'aimerais te confier ce dossier, mais je ne voudrais pas que tu l'utilises tant que je ne te le permettrai pas ou... tant que je serai au pouvoir.

— De quoi s'agit-il ?

J'avais également pris un ton sérieux et chuchotant. Il me tendit la chemise. Pendant un moment, je la gardai là, entre mes mains, n'osant l'ouvrir, en feuilleter le contenu. Des sentiments contradictoires m'avaient envahi. D'une part, bien sûr, l'excitation de découvrir des documents secrets du gouvernement, de détenir peut-être un des meilleurs scoops à passer à la barbe de mes collègues. D'autre part, le ton plus sévère que d'ordinaire pris par Al-'Abbâs me faisait craindre que l'information s'avérât trop brûlante et qu'il aurait mieux valu que je demeure en dehors de tout cela.

D'un signe de tête, Al-'Abbâs m'invita à ouvrir la chemise. Repoussant mes dernières hésitations, je m'exécutai.

Je découvris tout d'abord des listes de noms écrites à la main ainsi que quelques notes et lettres rédigées en arabe. Il y avait aussi des copies de correspondance à l'en-tête de certaines ambassades occidentales, des mémos codés, une cassette audio. Au milieu de ce salmigondis, plusieurs photos sur lesquelles on reconnaissait des diplomates étrangers en compagnie de jeunes filles à demi nues, des employés d'ambassades endormis dans une fumerie, des hauts fonctionnaires de gouvernements occidentaux palabrant à l'aise avec des membres facilement reconnaissables du Parti du Peuple Libre et du Front de Libération. La plupart avaient les joues gonflées par les feuilles de *qat*, cette drogue locale, omniprésente, qui se mâchouille lentement. Mes mains se mirent à trembler.

— Mon Dieu, Ibrahim, qu'est-ce qui ?... Où avez-vous ?...

Al-'Abbâs retourna s'asseoir dans le fauteuil en face de moi tout en guettant ma réaction. Il tira une bouffée nerveuse de sa cigarette et but une rapide gorgée de son verre.

— Ces documents m'ont été remis par bribes. Ils viennent d'agents qui se sont infiltrés dans le P.P.L., de saisies lors de perquisitions et de quelques traîtres que nous avons soudoyés. Peu de mes officiers connaissent l'existence de ce dossier. L'accumulation des éléments révèle l'existence de tractations secrètes entre les représentants de gouvernements occidentaux et mes ennemis.

Je hochais la tête de gauche à droite en

continuant de déchiffrer les notes en arabe.

— Je ne comprends pas, dis-je, je ne comprends pas. Ces mêmes pays occidentaux vous ont aidé dans votre lutte pour le pouvoir ; pourquoi se tournent-ils maintenant vers vos opposants ?

— Oh ! c'est relativement simple ! Le P.P.L. se lie d'amitié avec quelques membres influents des ambassades étrangères, crée des liens, accumule peut-être des éléments de chantage, qu'importe. Un jour, si le Parti parvient à m'évincer du pouvoir, avec ou sans l'aide des Occidentaux, il pourra quand même compter sur des alliés précieux pour faire pression auprès de leurs gouvernements respectifs afin de rétablir rapidement les relations diplomatiques avec leur gouvernement à eux. Le P.P.L. sera ainsi rapidement reconnu par la communauté internationale et pourra diriger le pays sans crainte de représailles ou d'embargo économiques.

— Ibrahim. (J'avais levé mon visage vers lui et je m'efforçais de prendre l'expression la plus sévère possible.) Je ne peux dévoiler l'existence de ces documents. Ils représentent une véritable bombe et se révèlent aussi dangereux pour vous que pour le P.P.L. Aucun pays impliqué ne vous pardonnera d'avoir mêlé ses diplomates à un pareil scandale.

Vous vous retrouverez rapidement isolé sur la scène mondiale et vous risquez même de voir ces alliés d'aujourd'hui se retourner ouvertement contre vous.

Un large sourire illumina le visage d'Al-'Abbâs. Il parut détendu de nouveau.

— Tu sais pourquoi tu me plais, Vincent ? Parce que tu es honnête. Au lieu de sauter à deux mains sur cette information formidable, tu préfères laisser tomber et éviter le risque que le pays et moi ne nous retrouvions en mauvaise posture.

Il se leva pour faire quelques pas et me parut encore plus grand que de coutume. Il se versa un nouveau verre d'alcool, mais qu'il remplit moins généreusement cette fois.

— Non, si je te mets au courant de ce dossier, ce n'est pas pour publication ; du moins, pas pour le moment. Je veux que tu le conserves avec toi.

— Avec moi ? Pourquoi ?

— Parce que je peux avoir confiance en toi. Je sais que si je te demande de ne rien publier, tu ne feras rien. J'ai confiance aussi en la plupart de mes officiers actuels, mais qui sait demain quelle vision, quelle utopie ils entretiendront à l'égard de ce pays. Peut-être même préféreront-ils s'allier aux ennemis d'aujourd'hui afin de s'emparer du pouvoir pour eux-mêmes. S'il m'arrivait quoi que ce soit, je ne veux pas voir les salauds qui m'auront trahi et les membres du Front profiter de leurs manigances communes.

— Ça serait un sacré coup de tabac en Amérique et en Europe s'il fallait que ces documents deviennent publics. Un gouvernement du P.P.L. n'y survivrait pas.

— C'est pourquoi j'aimerais que tu les conserves avec toi jusqu'à ce que je te demande de me les rendre ou jusqu'à ce que tu juges opportun de les publier... après ma mort.

J'avais pris un air songeur.

— Voilà qui explique pourquoi le Front n'attaque jamais des intérêts occidentaux à l'intérieur du pays, mais toujours des bâtiments du gouvernement, des quartiers de la capitale où résident certains fonctionnaires, ou encore des mosquées où les imams prêchent en faveur de vos politiques.

Alors que je parlais, je pris conscience que mon rythme cardiaque s'était accéléré. Je levai les yeux vers Al-'Abbâs.

— C'est tenter le diable que de remettre de telles informations entre les mains d'un journaliste, Ibrahim.

Il rit.

— Je te l'ai dit : je ne crois pas au diable.

Il s'approcha de moi, choisit une photo au milieu du dossier. On y voyait trois hommes en conversation, assis sur le sol dans une petite pièce sans meubles, décorée de tapis arabes.

— Tu les reconnais ? me demanda-t-il.

— Eh bien... (Je m'efforçais de reconnaître des traits familiers dans l'image un peu floue.) L'homme de gauche m'est totalement inconnu. Celui du centre est Mohammed el-Himali, militant du Front et celui de droite... On dirait... C'est curieux, on dirait...

— Parfaitement. Ali Kassem, colonel d'aviation, ministre d'État aux Affaires intérieures.

— Mais... Qu'est-ce qu'il foutait avec ?...

— Qu'est-ce que tu crois ? (Il regarda sa montre.) On va lui demander. Il est l'heure de rencontrer l'état-major, justement. Tu m'accompagnes.

— Je vous ?... À une réunion de votre état-major ?

Il répondit sans se retourner, marchant d'un pas rapide en direction de la porte.

— Il est temps que certains officiers acceptent ta présence à mes côtés. Et toi, tu ne le regretteras pas ; le spectacle en vaudra le déplacement.

* * *

La salle où se réunissait l'état-major d'Al-'Abbâs se trouvait au sous-sol du palais présidentiel, dans la partie fortifiée du bâtiment. Les murs étaient constitués d'un blindage pouvant résister à une attaque aux mortiers et des sorties de secours sous le plancher permettaient, en cas d'une telle attaque, de gagner rapidement les tunnels donnant accès à l'extérieur ou aux abris souterrains.

La pièce était rectangulaire et de bonne dimension. Hormis une mappemonde et une carte de la région, les murs étaient nus et d'un gris métallique. Une lumière blanche tombant du plafond rendait l'atmosphère froide, propice aux décisions sévères.

Une gigantesque table de cèdre, noire et brillante comme un miroir, aux contours sculptés d'arabesques, meublait le centre de la salle. Tout autour, assis sur des chaises recouvertes de feutre rouge, étaient regroupés les officiers et ministres qui formaient le gouvernement présidé par Al-'Abbâs.

Je les connaissais à peu près tous. La plupart étant officiers de l'armée, ils étaient vêtus d'un treillis militaire et portaient un revolver à la ceinture. Quelques civils, notamment des membres de la famille d'Al-'Abbâs, représentaient également divers ministères, d'inégale importance. Plusieurs d'entre eux me dévisageaient avec un mépris à peine dissimulé et j'avais un peu l'impression d'être le poulet qui se trouvait soudain au milieu d'une renardière.

Al-'Abbâs était assis à une extrémité de la table afin de pouvoir être vu de tous ses collaborateurs. Ma chaise se trouvait exactement à sa gauche, voisine de son frère Aksam et face à son cousin Bastam. Il fit distribuer quelques documents relatifs aux divers sujets de la réunion et prit la parole en mentionnant la procédure à suivre pour ceux qui exigeraient des informations supplémentaires sur un point ou l'autre.

Il posa ensuite les coudes sur la table, gardant le corps penché vers l'avant, et se mit à parler d'une voix calme, au débit calculé, à l'intonation sévère. Comme il s'adressait à ses hommes en arabe, je le soupçonnai d'utiliser un débit lent afin de me permettre de saisir la moindre de ses paroles.

— Vous vous interrogez présentement sur la pertinence de la présence à notre table d'un étranger, de surcroît membre de la presse occidentale. Je ne crois pas avoir à vous convaincre de la loyauté avec laquelle Vincent Juneau a servi les intérêts de notre gouvernement jusqu'à maintenant. Chacun de vous a pu apprécier sa discrétion lors des nombreux reportages qu'il a fait parvenir à son siège social. Il sait fort bien s'autocensurer lorsque cela évite de rendre publiques diverses bévues militaires, de mauvaises décisions relatives à l'administration du pays ainsi que certains excès de vos vies personnelles. Bref, monsieur Juneau n'a jamais profité de son accès à des informations privilégiées, parfois de compétences militaires exclusives, pour nuire à l'image de notre gouvernement, tant au pays qu'à l'étranger. Il protège ses sources, direz-vous; il profite précisément de son privilège pour procurer plus rapidement à ses employeurs une information mieux détaillée. Tant mieux pour lui... et pour nous. Car nous y trouvons notre compte, n'oubliez pas.

« En fournissant à monsieur Juneau toutes les facilités lui permettant de décrire au monde entier les horreurs commises par les terroristes du Front de Libération, il monte la communauté internationale contre le Parti du Peuple Libre et, indirectement, rehausse notre image. Je crois que, tout autant que lui, nous trouvons dans cette alliance des intérêts susceptibles de nous convaincre de la poursuivre encore longtemps.

— Excusez-moi, monsieur le président, interrompit un major à l'autre bout de la table. J'aimerais demander à monsieur Juneau s'il serait aussi enclin à s'autocensurer admettant qu'il soit témoin d'horreurs commises par des membres de nos forces armées ?

Je vis les muscles faciaux d'Al-'Abbâs se raidir alors que ses mâchoires se soudaient l'une à l'autre. Il ne me regarda pas, mais son silence signifiait qu'il attendait que je réponde. Tous les autres regards étaient fixés sur moi. Posément, en prenant bien soin de ne laisser paraître aucune animosité, je répondis par une autre question.

— Avez-vous l'intention, major, de perpétrer un attentat terroriste ?

Il y eut quelques murmures, mais quelques sourires aussi.

— Vous n'avez pas répondu à ma question, insista le major.

— Cher Abdul. (Al-'Abbâs s'adressait toujours à ses hommes par leur prénom.) Si c'est une preuve de loyauté supplémentaire envers l'armée dont tu as besoin, je vais te fournir, au contraire, une preuve de déloyauté d'un membre de l'armée envers notre cause. (Il retira une photographie du dossier et la jeta sur la table en direction du colonel Kassem.) J'apprécierais beaucoup, Ali, que tu expliques aux membres de notre état-major, comment tu as pu te retrouver en aussi grande conversation avec des agents du Front de Libération.

Le visage du colonel Kassem se vida de son sang. Ses yeux déjà trop grands s'arrondirent davantage et sa barbe se mit à frémir sous le tremblement de sa lèvre inférieure. Il leva la tête et vit tous les regards interrogateurs fixés sur lui.

Rapidement, dans un silence de stupéfaction, la photo circula parmi les militaires. Kassem se tourna alors vers un Al-'Abbâs impassible et se mit à trembler de tous ses membres. Il chercha à donner une excuse, une explication, mais ses mots se perdirent dans un balbutiement à peine perceptible. Il repoussa lentement sa chaise et, au moment où il se levait, je vis le bras d'Al-'Abbâs se tendre, revolver au poing.

La détonation résonna si fort dans la pièce fermée que je sursautai violemment. Mes oreilles se mirent à siffler et, pendant quelques secondes, je fus complètement sourd. Je n'entendis donc pas le bruit de la chaise repoussée contre le mur, ni le son produit par le corps du colonel lorsqu'il s'abattit sur le sol.

Mais le fait de voir éclater sa boîte crânienne alors que la cervelle était projetée contre le mur avait amplement suffi à provoquer chez moi l'impact d'un train qui m'aurait fauché au passage. Si je n'avais été bien assis sur une chaise, je me serais également écroulé sur le plancher. Quelques hommes eurent un léger mouvement de recul, mais la plupart demeurèrent assis sans bouger. Toujours impassible, Al-'Abbâs rengaina son arme encore fumante et s'adressa au capitaine debout près de lui.

— Atef, assure-toi que tous les membres de sa famille soient emprisonnés sur-le-champ. Qu'on brûle sa maison et tous ses biens. Que chacun sache comment il a trahi son pays et comment il a payé pour son crime. (Il se tourna vers moi.) C'est à toi Vincent qu'incombe cette dernière responsabilité.

* * *

J'étais profondément enfoncé dans un fauteuil de cuir épais à l'intérieur des appartements privés d'Al-'Abbâs. J'ignore combien de temps je suis demeuré ainsi retranché dans une position semi-fœtale, sans doute livide, revoyant sans cesse la tête du colonel Kassem éclater sous mes yeux. Un bon moment, sans doute, assez du moins pour inquiéter mon hôte, car lorsque je revins à moi, que je m'informai de l'heure et que je cherchai à boire, j'entendis le discret soupir de soulagement qu'il laissa échapper.

J'étais abasourdi, un peu comme quelqu'un qui sort d'un mauvais rêve. Mes mains tremblaient, je me sentais faible. Il m'avait pourtant déjà été donné de voir mourir des gens près de moi, victimes d'émeutes, d'explosions. Mais abattus froidement, à bout portant, jamais je n'avais assisté à une telle horreur.

Al-'Abbâs s'approcha et me tendit un verre de cognac. Je le portai à mes lèvres et en bus d'un trait le contenu. L'alcool agit en moi à la manière d'un régénérateur. Avec peine, je réussis à parler.

— Kassem méritait un procès.

Al-'Abbâs ne répliqua pas, se contentant de remplir mon verre de nouveau.

— Quels que soient ses crimes, insistai-je, il méritait un procès.

— Il y a si longtemps que tu vis dans notre région troublée par la guerre, dit enfin Al-'Abbâs sans me regarder, que tu ne devrais plus trimbaler avec toi ce bagage de faiblesses occidentales.

— Faiblesses ? Un procès ? La dernière chance offerte à un homme de justifier ses actes ?

— Perte de temps et d'énergie. Le résultat aurait été le même pour lui; il était coupable. Son sort est maintenant réglé, sa mort violente sert d'exemple à d'autres traîtres éventuels, et nous pouvons passer à autre chose.

— Mon Dieu! (Je gardais les yeux baissés sur mon verre serré entre mes mains.)

— Mon pays est en guerre contre un ennemi trop souvent invisible. Quand la chance se présente de prendre sans risque un cavalier ou une tour, on ne perd pas son temps à tourner autour des pions.

— Un procès aurait eu le même effet.

— «Un empire fondé par les armes a besoin de se soutenir par les armes.»

Il venait de citer Montesquieu; une phrase qu'il aimait bien placer à l'occasion. Elle reflétait sa philosophie d'omnipotence brutale. Je ne répliquai pas. Je demeurai immobile, continuant à tenir mon verre à deux mains, comme si je m'y accrochais.

— Ton Occident nous voit comme des barbares, poursuivit-il, parce que nous sommes obligés d'user de la force pour protéger nos peuples. Pourtant, les procès de ton Occident ne sont bien souvent qu'un paravent pour masquer leur défaut le plus prononcé : l'hypocrisie. (Il leva un doigt vers le plafond.) Je cite : « Les crimes de l'extrême civilisation sont certainement plus atroces que ceux de l'extrême barbarie ; par le fait de leur raffinement, de la corruption qu'ils supposent, et de leur degré supérieur d'intellectualité. » C'est pompeux, un peu vantard, mais d'une grande lucidité. (Il s'approcha de moi et plia un genou pour se mettre à ma hauteur.) Jules Barbey d'Aurevilly, un dandy français. Tout ce qu'il y a de plus occidental.

Je décrochai enfin les yeux de mon verre pour saisir son regard. Je n'y décelai ni animosité, ni colère... ni remords. Pour Al-'Abbâs, la traîtrise et la mort du colonel Kassem n'étaient que des incidents dans cette guerre sans tranchée qu'il livrait au Front de Libération. L'officier avait payé, le danger qu'il avait représenté était écarté ; on pouvait maintenant passer à une autre étape.

Je ne me sentais plus la force de répliquer à Al-'Abbâs. J'étais prostré, totalement à la merci de ses arguments, de son assurance... de sa toute-puissance. Il eut un mot d'esprit et parvint à me tirer un demi-sourire. Je voulais m'arracher à son emprise réconfortante, repousser son amitié, refuser de devenir complice de sa brutalité. Je n'y parvins pas.

Il avait passé son bras autour de mes épaules et, comme toujours, je sentais que je m'abandonnais complètement à cette étreinte à la fois forte et douce. Je jetai un rapide coup d'œil à la porte et constatai, à la position du pêne, qu'elle était verrouillée. Je m'en remis alors aux mains et aux lèvres de mon amant.

5

Marie était assise sur le lit. Vêtue d'une chemise appartenant à Vincent, elle peignait ses cheveux d'un geste machinal, les yeux fixés dans le lointain. Le téléviseur, aussi vieux que le motel lui-même, diffusait une image brouillée aux couleurs indéfinies, mais qui permettait à la jeune fille de garder un certain contact avec le réel, d'éviter de sombrer à nouveau, ne serait-ce qu'en pensée, dans l'horreur qu'elle venait de vivre.

L'épaule appuyée contre le mur adjacent à la salle de bain, Vincent l'observait. Il la trouva encore plus belle et se demanda pourquoi la beauté qui devait être un atout pour les femmes devenait si souvent leur pire ennemi.

— Tu prends la pilule ? demanda-t-il d'une voix soucieuse.

Elle hocha la tête sans le regarder. Elle replia sous elle de longues jambes au galbe parfait et répondit lentement, d'un timbre à peine audible.

— Oui. De toute façon, il n'a pas eu le temps de me pénétrer. C'est peut-être ce qui m'évitera de devenir folle.

Il fit quelques pas et s'assit près d'elle.

— Désormais, tu ne me quittes plus.

Elle leva les yeux.

— Les hommes du Front sont ici, poursuivit-il. Ils me cherchent, mais comme je n'ai aucune adresse fixe au Québec, c'est par toi qu'ils vont tenter de me repérer. Ce doit être dû aux cartes que je t'ai fait parvenir. Tu es le seul lien qui les conduise à moi.

— Des Arabes... sont ici ?

— Je n'aurais jamais pensé qu'ils me poursuivraient jusqu'en Amérique. Pour eux, d'ordinaire, il s'agit d'un monde trop lointain, inaccessible. (Il fit la moue.) Il est vrai que depuis l'explosion du *World Trade Center*, il nous faut cesser de croire en l'inviolabilité de notre territoire.

Un souvenir récent remonta à la mémoire de Marie.

— Cette semaine, un étranger est venu au dépanneur pour des cigarettes... En fait deux, parce que l'un est demeuré dans la voiture. Il me regardait d'un drôle d'air et il parlait avec un accent que je n'ai pu définir. Maintenant que je m'y arrête, oui, il avait une physionomie d'Arabe. C'était mercredi ou jeudi, la journée où on a connu cette grosse pluie.

— Ils se préparaient sans doute à organiser un horaire de filature pour découvrir à quel moment j'entrerais en contact avec toi. Nous sommes chanceux qu'il ait fait si mauvais à ce moment-là car c'est précisément le jour où je suis arrivé.

Marie le regarda intensément.

— Que leur as-tu donc fait pour qu'ils cherchent autant à te retrouver ?

Il haussa les épaules.

— J'ai été l'un des principaux artisans de l'image d'assassins terroristes qu'ils véhiculent sur la scène internationale. Et c'est à cause de cette image qu'ils n'ont pu obtenir l'appui de nombreux pays membres de l'O.N.U. face à la dictature d'Al-'Abbâs.

— Pour une question de mauvaise réputation, ils envoient des agents à tes trousses à l'autre bout du monde ?

— Non, pas seulement une question de réputation, bien sûr. Il y a aussi... les notes, les photos.

— Quelles photos ?

— Celles dont je te parlais. Celles pour lesquelles même la G.R.C. refusera de me venir en aide. Des photos on l'on voit les principaux dirigeants du Front fraterniser avec des diplomates, des ambassadeurs ; des gens dont la politique officielle du pays qu'ils représentent est anti-P.P.L. Les pays en question, officiellement, exprimaient leur horreur devant les gestes des terroristes, mais se gardaient bien de recourir à la moindre action concrète pour forcer le Front à cesser ses activités. Ils conservaient ainsi le précieux pétrole d'Al-'Abbâs tout en se gardant une porte d'entrée au cas où le dictateur serait renversé.

— Voilà pourquoi l'Occident est demeuré en si bons termes avec ce pays, même depuis la mort d'Al-'Abbâs et la prise de pouvoir du P.P.L.

— Tu as tout compris, ma grande. Et tant que je n'aurai pas publié mon livre, je suis une véritable bombe à retardement, autant pour le P.P.L. que pour les pays ayant engagé avec lui des tractations secrètes.

Il passa un bras autour de la jeune fille et la serra contre lui.

— Tu es maintenant mêlée à mes magouilles internationales, petite abeille. Il n'est plus question que tu retournes chez les parents de ta copine. S'ils te retrouvent et décident de se servir de toi pour me faire chanter, tes mésaventures de ce soir risquent de paraître bien douces face à ce qui t'attend.

Un frisson d'horreur prit naissance dans la nuque de Marie, parcourut son corps jusqu'à ses pieds, la secouant telle une onde de choc. Vincent sentit ce frémissement.

— Tu dormiras ici, dans ce lit. Moi, je saurai très bien m'accommoder du fauteuil... et pourrai veiller sur toi.

Elle appuya sa joue contre l'épaule de l'homme et étreignit son bras contre elle.

— Non, dit-elle. Tu coucheras près de moi et je dormirai la tête sur ta poitrine... comme il y a longtemps lorsque tu me berçais le soir venu. Cette nuit, je veux n'avoir que onze ans.

* * *

Les rêves de Marie, cette nuit-là, n'avaient rien des rêves d'une enfant. Chaque fois que son esprit s'abandonnait au sommeil, l'odeur de la bête et la voix de l'ogre remontaient en elle. Alors, à chaque fois, elle s'éveillait fiévreuse et grelottante. Contre son oreille, le battement régulier du cœur de Vincent finissait par la rassurer et elle se rendormait. Plus tard, beaucoup plus tard, il y eut une période d'accalmie où les rêves firent place à un coma profond; lorsqu'elle en émergea, le soleil inondait la chambre.

Vincent n'était plus auprès d'elle, mais le bruit de son rasoir était audible depuis la salle de bain. Elle serra l'oreiller de l'homme contre son visage et en rechercha l'odeur. Ainsi, elle espérait tuer les effluves qui avaient remonté à ses narines une partie de la nuit.

— Tu as bien dormi, petite abeille ?

Elle le regarda apparaître dans l'encadrement de la porte, un pansement recouvrant les jointures de sa main droite. Elle essaya de sourire.

— Disons que j'ai réussi à dormir.

— As-tu faim ?

En guise de réponse, elle plissa le nez. Il vint s'asseoir auprès d'elle et le parfum de sa lotion après rasage était comme un baume pour ses narines meurtries.

— Nous devons quitter Rivière-aux-Orignaux. Nous passerons rapidement chez toi où tu prendras tes affaires. N'emporte que l'essentiel. Nous disparaîtrons ensuite, peu importe où ; là où ils ne pourront pas nous retrouver.

Elle se leva sur son séant, le regarda dans les yeux.

— J'ai peur, Vincent.

— Moi aussi, j'ai peur, Marie. Mais ils ne savent pas que nous savons. Ils ne s'attendent donc pas à ce que nous fuyions. Cela nous donne une bonne longueur d'avance.

— Et là où nous irons, comment être sûrs qu'ils ne nous retrouveront pas ?

Il se leva et prit la chemise posée sur le dossier d'une chaise.

— Je n'ai besoin que du temps nécessaire pour écrire mon livre, ainsi que quelques séries d'articles dans les journaux et pour faire publier les photos. Ensuite, le mal fait, lorsque les médias auront suffisamment diffusé mes déclarations, ils nous laisseront tranquilles. En me tuant par vengeance, ils ne feraient que se mettre davantage à dos l'opinion mondiale.

Marie passa une main nerveuse dans ses cheveux en soupirant bruyamment.

— Oh ! mon Dieu ! jura-t-elle. Comme d'une simplicité extrême, en vingt-quatre heures, le monde m'apparaît maintenant devenu complètement fou.

— Habille-toi, petite abeille. Pendant ce temps, je vais appeler à l'aéroport de Baie-Comeau et essayer de nous trouver une place sur un vol pour Montréal.

— Attends. (Du bout des doigts, elle tapotait son front, comme si cela l'aidait à réfléchir.) Pourquoi ?... Pourquoi on ne fuirait pas en forêt ? C'est le meilleur endroit pour se cacher. De plus, c'est la belle saison qui commence ; tu auras trois bons mois pour écrire, préparer ta sortie...

Il sourit, amusé par la naïveté de la jeune fille.

— Tu crois que je peux passer trois mois assis dans une tente à écrire un bouquin ?

Elle se leva. Son visage avait repris l'expression assurée qui la caractérisait généralement.

— Mais pas du tout ! Les parents de ma copine ont un camp de chasse à une centaine de kilomètres en forêt. L'été, ils ne s'y rendent pas. Il ne s'agit pas d'une construction très vaste, c'est sûr ; par contre, elle est bien construite et située sur la rive d'un lac. Nous pourrions y vivre des semaines entières sans rencontrer qui que ce soit. Jamais personne n'aura l'idée de venir nous y débusquer. À l'hiver, avant les neiges, lorsque les Arabes auront renoncé depuis longtemps à nous retrouver à Rivière-aux-Orignaux, il ne nous restera plus qu'à redescendre vers le fleuve et aller vivre quelque part où tu voudras.

Il posa les fesses sur le coin de la commode, une main au menton, les yeux fixes.

— Tu saurais nous mener jusqu'à ce camp ? demanda-t-il enfin.

— Bien sûr, répondit-elle. J'y suis allée

deux ou trois fois; je connais le chemin. La route y est mauvaise mais, en conduisant lentement, la voiture pourrait s'y rendre.

Il eut un petit mouvement vif de la tête.

— D'accord, fille. Ton idée me paraît bonne. Alors, ce matin, opération ravitaillement et on décampe.

* * *

Assise dans la voiture, la nuque reposant contre l'appui-tête, Marie laissait le soleil de juin chauffer la peau de son visage. Elle ne fermait pas les yeux; elle craignait le film qui risquait de se projeter sous ses paupières closes. Elle préféra perdre son regard dans les conifères régnant en maîtres sur ce coin peu déboisé du village.

C'était un dimanche matin tranquille comme tous les dimanches matins de Rivière-aux-Orignaux. Parulines, bruants et hirondelles voletaient dans toutes les directions, répondant avec une ferveur parentale peu commune aux oisillons qui, fraîchement libérés de leurs œufs, réclamaient à grands cris leur part de chenilles et de graines. Marie se laissa bercer par cette nature mélodieuse tandis que Vincent, derrière la voiture, finissait de charger les sacs de ravitaillement.

La jeune fille suivit du regard le vol d'un héron qui venait d'apparaître au-dessus de la route avant d'aller se perdre sous le couvert forestier. C'est alors qu'elle nota la voiture au loin.

Stationnée dans la courbe, à peine visible, Marie s'y attarda distraitement jusqu'à ce qu'elle remarque que l'un des phares était manquant. Son cœur bondit alors dans sa poitrine.

— Prête, ma grande ?

Vincent venait de s'asseoir derrière le volant. Elle se tourna vers lui, posant une main sur son bras.

— Vincent, cette voiture là-bas, on dirait... Je ne suis pas certaine, mais je crois qu'il s'agit des Arabes.

— Quoi ?

La main de l'homme venait de se figer sur la clé de contact. Des gouttes de sueur perlèrent à son front et il relâcha les doigts doucement comme s'il craignait la moindre brusquerie.

— Pourq ?... Qu'est-ce qui te fait penser qu'il s'agit d'eux ?

— Parce qu'il manquait un phare à leur voiture, simplement. Je peux donc me tromper, surtout que je n'ai pas remarqué quel genre d'auto ils conduisaient.

Vincent gloussa en regardant la clé demeurée sur le contact.

— Tu vas descendre doucement, dit-il, en prenant soin de ne pas trop secouer la voiture. Je...

— Ils approchent, Vincent.

L'automobile venait de s'ébranler. Lentement, elle émergea de la courbe puis, petit à petit, se mit à prendre de la vitesse. À mesure qu'elle approchait, Marie reconnaisait le chauffeur.

— Ce sont eux! dit-elle.

Juste avant de parvenir à leur hauteur, la voiture bifurqua légèrement pour les croiser d'encore plus près.

— Bon Dieu! couche-toi! hurla l'homme à la jeune fille alors qu'il la saisissait au collet pour la rabattre contre lui.

Il ferma les yeux et attendit. La voiture passa en trombe sans ralentir et poursuivit sa route. Vincent, contre toute attente, se mit à rire. Replié contre le bras de vitesse, la tête de Marie enserrée entre ses bras, il riait. Mais d'un rire faux duquel la jeune fille décelait toute la nervosité.

— Je « paranoïe », dit-il en se relevant lentement. Me voilà atteint du syndrome de Beyrouth.

— Vincent, regarde.

Du menton, Marie désignait la glace arrière. Une voiture de police approchait.

— Tu crois que c'est pour ça qu'ils ne se sont pas arrêtés ou qu'ils n'ont pas ?... Enfin, qu'il ne s'est rien passé ?

— Je ne sais pas, répondit Vincent, redevenu sérieux. (Il retira les clés du contact pour les mettre dans sa poche.) Sortons.

La voiture de police s'arrêta derrière la leur. Un agent seul en descendit et s'approcha lentement en coiffant sa casquette.

— Bonjour, dit-il d'une voix affable à l'égard de Vincent. Ça va bien ?

— Tout va très bien, merci.

L'agent aperçut Marie

— Bonjour, Marie.

— Bonjour, Marc.

— Tu te prépares pour une balade ?

— Oui, je vais passer quelques jours de vacances avec Vincent chez des amis communs que nous avons à Québec.

— Oh ! c'est bien ! (Il leva les yeux pour regarder passer un couple d'hirondelles et se gratta la nuque du bout des doigts.) Dis-moi, Marie, tu as entendu quelque chose, hier soir ?

— Quelque... chose ?

— Oui, des voix, des cris. Quelques voisins non loin de chez toi ont rapporté un peu d'agitation dans les alentours. Tu ne serais pas au courant ?

— Oh ! tu sais, j'ai passé la soirée avec Vincent, hier, et puis nous sommes allés... coucher au motel ! Alors, je ne sais pas s'il a pu se passer quelque chose près de chez moi.

Le policier regarda Vincent puis revint vers Marie.

— Au motel, hein ? Bon, bon. Et tu as vu Bruno, hier soir ?

Seul un clignement des paupières vint trahir le malaise de la jeune fille.

— Heu... non. Il... Il avait un *party* de hockey, hier. Il devait être avec sa *gang*.

— Oui, semble-t-il. C'est qu'il y aurait eu une sacrée bagarre, hier soir. Bruno et deux de ses *chums* se sont retrouvés au C.L.S.C. très amochés. Comme ils ne veulent rien dire et que je n'arrive pas à trouver d'autres témoins... Enfin, ce n'est pas qu'il y ait eu plainte, je voulais seulement savoir ce qui s'était passé.

— Désolée de ne pouvoir t'aider, Marc.

Il regarda les jointures pansées de Vincent.

— Vous vous êtes blessé, monsieur ?

Par réflexe, Vincent porta la main gauche à son pansement.

— Non, ça va, répondit-il dans un faux sourire. Un truc bête ; j'ai refermé une portière en oubliant de la lâcher.

— Je vois. Et vous non plus n'êtes pas au courant de la bagarre ?

— Je n'ai pas lâché Marie d'une semelle, hier.

— O.K., je n'insiste pas. (Il tourna les talons à demi puis revint vers la jeune fille.) Marie, je veux te dire... On se connaît bien, je sais que tu es une fille correcte. Si tu as des ennuis, tu ne te gêneras pas pour m'en parler, pas vrai ?

Elle sourit, touchée.

— Tu es un bon copain, Marc, j'ai confiance en toi. Sois sans inquiétude, tout va très bien.

— D'accord. Alors, bon séjour à Québec.

— Heu... Excusez-moi, dit Vincent en prenant un air candide. J'aimerais vous dire... En fait, juste avant que vous n'arriviez, Marie et moi venions justement de remarquer une voiture qui passait avec un phare en moins. Vous avez même dû la croiser. Je sais que ce n'est pas une infraction très grave, mais je me demande si vous ne devriez pas vous assurer que ce type ne circulera pas de nuit avec seulement un phare.

Le policier hésita un moment en fixant Vincent dans les yeux. Ce dernier eut un geste vague de la main.

— Moi, si je vous dis ça, reprit-il, c'est vraiment juste pour la sécurité, vous savez. Ce n'est pas que je veux me mettre à vendre des contrevenants pour le plaisir.

Marc hocha la tête simplement, jeta un dernier regard à Marie puis, sans un mot, remonta dans sa voiture pour repartir dans la direction d'où il était venu.

— Bon, ça va occuper nos copains un moment, mais plus de temps à perdre maintenant, dit Vincent en perdant son air faussement naïf. Marie, va faire quelques pas dans le bois à côté et cache-toi derrière les arbres; je dois vérifier quelque chose.

— Quoi? Quelle chose?

— Je continue de «paranoïer», peut-être, mais je dois en avoir le cœur net. (Il prit le visage de la jeune fille dans ses mains.) Tu as bien compris? Cache-toi quelque part derrière les arbres et attends que je t'appelle.

Elle acquiesça brièvement d'un signe de tête et traversa le fossé. Parvenue derrière une talle d'épinettes, elle vit l'homme se glisser sous la voiture et examiner longuement les parties inférieures du moteur, les roues et d'autres éléments à sa portée. Puis, il se releva et, avec une infinie précaution, ouvrit le capot. Pendant encore un bon moment, il sembla chercher au milieu des fils et des pièces de métal des indices qu'il sembla ne pas trouver. Finalement rassuré, il laissa retomber le capot et fit signe à Marie de venir le rejoindre.

— Que cherchais-tu ? s'enquit-elle en arrivant près de lui. Tu ne croyais tout de même pas trouver une bombe ?

Il la regarda droit dans les yeux et son expression n'avait rien de celui qui cherchait à plaisanter.

— Si tu avais vécu neuf ans à entendre les balles siffler autour de ta tête et à voir les voitures exploser au moindre carrefour, tu n'aurais pas envie de tourner une clé de contact si tu avais le moindre doute que quelqu'un ait eu intérêt à y brancher un détonateur. Ces bandits ne veulent peut-être pas me voir mourir avant d'avoir les photos entre leurs mains, mais je n'ai aucune intention de parier nos vies sur cette simple théorie !

Elle demeura figée, hypnotisée par l'éclat que renvoyaient les yeux de Vincent. Celui-ci tourna les talons d'un mouvement sec et un petit nuage de poussière monta du gravier sous ses pieds.

— Partons, il est plus que temps.

6

La rue principale de la capitale avait rarement été aussi colorée. Les immeubles exposaient entre leurs fenêtres et leurs balcons, tel un maquillage de fête, des affiches et des banderoles vantant la gloire d'Al-'Abbâs. Des photos géantes du président et des drapeaux du pays s'agitaient avec frénésie aux mains des milliers d'hommes, de femmes et d'enfants qui scandaient des slogans favorables au gouvernement. Des pigeons, à la recherche des aires où ils puisaient habituellement leur subsistance, ne s'y retrouvaient plus et voletaient en poussant des roucoulades éperdues.

Le peuple d'Al-'Abbâs célébrait l'anniversaire du putsch qui avait permis son accession au pouvoir. Dans la rue trop étroite pour ce genre de manifestation, une meute inhabituelle d'hommes en uniforme patrouillait au milieu de la foule. Dispersés sur des positions savamment calculées, ceux-ci pouvaient bloquer dans un délai minimum tout mouvement cherchant à nuire à l'avance du défilé.

En cas de pépin majeur, ils seraient appuyés par une compagnie de tireurs d'élite dispersés sur les toits. D'autres soldats, disposés en deux lignes faisant toute la longueur de la rue, servaient de tampon entre la foule en liesse et les tanks, camions militaires et voitures officielles qui roulaient lentement en direction de la place principale.

J'avais réussi à convaincre mes gardes du corps que, mêlé aux nombreux groupes de journalistes étrangers, je ne courais guère le risque d'être repéré par un éventuel agent du Front. En fait, j'avais cherché par tous les moyens à me libérer de leur protection étouffante pour renouer avec mes collègues des autres agences de presse. Si la plupart d'entre eux m'avaient accueilli avec bonne humeur et quelques blagues, d'autres m'avaient carrément exprimé leur mépris.

Je n'avais guère le temps de m'attrister de leur attitude à mon égard ni de chercher à me défendre. Je venais de repérer Charles-Henri Durand, directeur de l'Agence France-Presse au Moyen-Orient. Célibataire endurci, coureur de jupons, grande gueule et grand buveur, il était tout ce qu'on imaginait d'un directeur d'agence de presse à l'étranger. Sa tête grisonnante dépassait toutes les autres et il s'aidait de sa bedaine bien portante pour se frayer un chemin dans ma direction. Il portait une chemise au col ouvert et un pantalon de coton bon marché. Entre ses mains, un mouchoir à la blancheur douteuse lui servait à éponger son front moite. Sur son épaule gauche, pendait en bandoulière un sac en cuir brun duquel émergeaient les objectifs d'appareils photographiques. Il arriva à ma hauteur en soufflant bruyamment.

— Ah ! Vincent ! Je me demandais si je parviendrais à te trouver.

Il me serra la main d'une poigne forte, presque douloureuse.

— Salut, Charlot, répondis-je en l'entraînant avec moi dans le sillage de la foule qui suivait le cortège. Alors, comment ça se passe ?

— Extra, dit-il sans pouvoir reprendre son souffle. Tes derniers textes ont relégué toute la concurrence aux oubliettes. À Paris, la direction jubile.

Sans ralentir mon pas, je poursuivis la conversation par-dessus mon épaule. Il fallait presque crier pour parvenir à se comprendre.

— Tant mieux. Et le photographe que tu devais envoyer, il est arrivé ?

— Non. Il est à Tel-Aviv.

Je fis un arrêt si brusque qu'il faillit se heurter à moi.

— Quoi ? Mais qu'est-ce que cet idiot fabrique à Tel-Aviv alors qu'il devrait être ici depuis au moins deux jours ?

Charlot parut embarrassé et fit une mine un peu déconfite.

— Il arrivait d'Amsterdam et les douaniers israéliens ont découvert trois petits joints de haschich dans ses bagages.

— Ah ! sacrament, c'est pas vrai ! On va se faire damer le pion par Reuter et l'A.P. encore une fois !

— On a fait des pieds et des mains pour le faire libérer, mais pour aujourd'hui, c'était impossible.

Nous reprîmes la marche en zigzaguant au milieu d'une foule de plus en plus bruyante et agitée. La voiture blindée d'Al-'Abbâs venait d'apparaître et nombre de manifestants, jusqu'alors moins allègres, s'étaient mis à leur tour à scander des slogans en son honneur.

— C'est donc pour ça que tu as quitté ton bureau douillet de Jérusalem ; tu as été promu photographe.

— Pas vraiment, non. Je ne sais pas très bien me servir de ces machins-là. Je pensais que toi tu pourrais les utiliser pendant que moi, je m'occuperais des textes.

— Oh ! que nenni, mon gros ! Les textes,

en ce qui a trait à Al-'Abbâs et ce pays, ça demeure mon rayon exclusif. Pas question d'aucun compromis sur ce point.

— Sois sympa, Vincent ; j'ai horreur de ces machins. Je rate toutes les...

— Je m'en sacre, Charlot ; ce n'est pas mon problème. Bon, regarde. (Je pointai du doigt un groupe de militaires derrière lequel se tenait Mustapha, un cameraman que je connaissais bien, et quelques techniciens qui l'accompagnaient.) Voilà l'équipe de la chaîne locale de télévision anglophone. (Je regardai ma montre.) Je dois y faire un « topo » en direct dans dix minutes, c'est-à-dire à peu près au moment où la voiture d'Al-'Abbâs arrivera à leur hauteur. Tu peux demeurer avec eux derrière, mais tu restes discret, d'accord ?

— Alors, les photos ?...

Je soulevai les sourcils dans une expression d'impatience.

— Alors, les photos, tu te les tapes, Charlot !

Nous parvînmes sans trop de difficulté à nous faufiler jusqu'au groupe de techniciens qui m'accueillit avec un soulagement non dissimulé. Dans un anglais un peu boiteux, le régisseur m'invita à prendre place rapidement devant la caméra de Mustapha afin de procéder aux réglages d'image et de son. À nos côtés, le groupe de militaires suivait le moindre de nos mouvements avec des regards de bêtes féroces.

Je me plaçai dos aux véhicules qui paradaient. Devant moi, je voyais l'œil sombre de la caméra qui me fixait et les centaines de manifestants qui nous observaient comme si nous faisions partie du spectacle. Une dernière fois, je consultai les notes que j'avais prises sur un bout de papier et attendit. Le régisseur, concentré sur les instructions qu'il recevait à l'aide d'un écouteur enfoncé dans son oreille, m'indiqua le décompte des dernières dix secondes en abaissant un à un les doigts qu'il me présentait.

Je jetai rapidement un coup d'œil par-dessus mon épaule pour m'assurer de la position de la voiture du président et revint vers la caméra au moment où se refermait le dernier doigt.

— Madame, monsieur, bonjour ! commençai-je dans un anglais auquel je m'efforçais de donner un accent plus britannique qu'américain. Depuis un moment déjà, ici au centre-ville de la capitale, une foule immense de plusieurs centaines de milliers de personnes s'est regroupée afin de saluer et rendre hommage à son président, Ibrahim Al-'Abbâs. L'atmosphère est euphorique.

J'enchaînai ensuite avec les travaux de l'armée nationale qui avait fermé la veille toutes les artères menant à la rue principale, du nettoyage de ladite rue, des voitures interdites d'accès, de l'étroitesse du passage qui donnait une foule excessivement compacte sur des kilomètres, et enfin des mesures de sécurité exceptionnelles mises en place.

À mesure que je parlais, la voiture d'Al-'Abbâs parvenait à ma hauteur et je m'étais mis à marcher de côté afin de la suivre dans son lent déplacement. Les techniciens s'engagèrent fébrilement à ma suite, aidés par les militaires qui ouvraient avec plus ou moins de délicatesse le passage à notre voiture de reportage. Quelques minutes s'écoulèrent ainsi où tout en poursuivant ma description de l'événement, je voyais Mustapha pointer sa caméra sur la foule, la déplacer vers le cortège, puis revenir sur moi.

Parvenus à un léger étranglement de la rue, juste avant l'élargissement final qui donnait sur la place principale de la ville, la marche se ralentit afin de permettre aux cordons de militaires de repousser davantage la foule. Cela donna lieu à un pas de danse étrange où la ligne kaki ondula pareille à une vague. Mêlés aux ovations des manifestants, des cris, venus du côté opposé de la rue, finirent par percer. Le sifflet d'un policier s'imposa également dans le brouhaha et les voitures s'arrêtèrent. Immédiatement, la nervosité s'empara des soldats et, plus fermes que jamais, ceux-ci retinrent la foule. Le bruit des mécanismes qu'on arme commença à se faire entendre tout autour et les manifestations de joie chutèrent en proportion.

Sans rien laisser paraître de l'inquiétude qui avait commencé à me gagner, je poursuivis mon exposé en invitant Mustapha à me suivre alors que je me déplaçais en direction de l'officier qui avait fait stopper le cortège. Celui-ci, le sifflet toujours aux lèvres, un talkie-walkie collé à son oreille, réorganisait la position de ses hommes afin d'apporter une protection accrue à la voiture d'Al-'Abbâs. Je parvins rapidement à sa hauteur.

— Capitaine, lançai-je en m'apprêtant à lui pointer mon micro sous le nez, pour le bénéfice de nos téléspectateurs, expliquez-nous pourquoi vous avez fait arrêter le cortège.

Il me jeta un regard stupéfait, comme s'il ne parvenait pas à comprendre que j'aie pu m'approcher aussi facilement de lui. Sans me répondre, il se tourna vers un groupe d'hommes près de lui et leur aboya de s'approcher. Je dus réagir promptement.

— Nous sommes présentement en direct, capitaine, et des milliers de téléspectateurs, des ministres du gouvernement, votre famille peut-être même, nous regardent en ce moment et aimeraient savoir quel danger vos sens aiguisés de militaire ont flairé pour que vous choisissiez ainsi de faire arrêter le défilé.

Mon coup porta droit au but. Son expression de dogue écumant se transforma presque en sourire et il se mit à parler avec un sérieux à la limite du risible.

— Ce n'est rien de grave, pour le moment, dit-il en s'adressant à la caméra. Mes hommes viennent de repérer une voiture stationnée à l'extrémité de cette ruelle, là-bas. Comme depuis hier soir, aucune voiture ne devait en théorie se trouver dans le secteur, nous avons préféré procéder à une vérification rapide.

— Et si la vérification s'avère négative, allez-vous ?... Ah ! voyez, capitaine, un de vos hommes arrive précisément à la course. Il va nous donner l'explication.

Un soldat arriva près de lui, en effet, et salua d'un geste bref. Il s'apprêtait à parler lorsqu'il aperçut la caméra pointée dans sa direction. L'officier lui fit signe de l'ignorer.

— Il s'agit de la voiture d'un militaire,

mon capitaine, dit-il en lorgnant l'œil noir qui le dévisageait. Des témoins dans la foule disent que deux hommes en uniforme en sont descendus ce matin. Ils portaient des galons d'officiers supérieurs.

— C'est bon, répliqua le capitaine en feignant de ne pas voir la caméra qui était revenue sur lui. On peut reprendre la marche.

Il reporta le sifflet à ses lèvres et, avec de grands gestes, invita les voitures à avancer. Il en profita pour chercher à nous faire reculer en se donnant des airs paternalistes. Nous tardâmes à obéir, fixant l'image sur la voiture que nous apercevions au loin au gré des mouvements des soldats, louant le professionnalisme de cet officier qui avait poussé le zèle jusqu'à faire arrêter le cortège au complet pour la vérification d'un élément qui, au départ banal, lui avait paru malgré tout suspect. Il entendait mes paroles et c'est pourquoi il ne nous brusqua pas devant notre hésitation à répondre à ses ordres.

Nous nous apprêtions à reprendre le pas au moment où le véhicule d'Al-'Abbâs repassa à notre hauteur. À cet instant, Mustapha avait la voiture suspecte directement dans son viseur. Il eut le temps de la voir se transformer en une boule orange juste avant que nous ne soyions projetés sur le sol par un souffle incandescent.

J'ai senti mes pieds se soulever comme si deux mains puissantes m'avaient saisi à la taille, mon corps a basculé et je suis allé percuter les hommes devant moi. Nous devions ressembler à un curieux jeu de petites quilles fauchées par une boule trop grosse. Pendant une fraction de seconde qui parut cent fois plus longue, nous fûmes écrasés entre le mur de pierre d'un immeuble et le mur de feu de l'explosion. Je n'ai pas eu le temps d'avoir mal. J'ai eu l'impression que tous mes membres se séparaient de mon corps et j'ai perdu connaissance.

Quelques secondes seulement s'écoulèrent. Je revins à moi et ma première impression fut d'être un insecte surpris au cœur d'un ouragan. Je n'avais pas encore ouvert les yeux et je sentais le chaos autour de moi. J'étais enseveli sous les corps d'hommes, de femmes, qui gémissaient ou hurlaient en se débattant furieusement pour échapper à la meute en panique qui nous piétinait. Contre mon cou et mes bras, je sentais une douleur atroce, provoquée par les brûlures que m'avait infligées l'explosion. Tant bien que mal, le dos appuyé contre le mur de pierre, je parvins à me remettre sur pieds. La scène était apocalyptique.

Des débris de tôle, du verre et des corps partout. Des corps brûlés, mutilés, déchiquetés ; des corps qui couvraient en grande partie le côté opposé de la rue, là où avait explosé la voiture. Il s'agissait de militaires surtout, car juste avant, le capitaine avait obligé les civils à reculer. Celui-ci d'ailleurs gisait au milieu de la chaussée, son sifflet retenu au cou par une cordelette. J'aperçus le véhicule blindé d'Al-'Abbâs tourner le coin de la rue au loin, les pneus éclatés, roulant sur les jantes, provoquant derrière lui des gerbes d'étincelles. Des camions militaires, sans prendre la peine d'éviter les corps sur le sol, s'étaient engagés à sa suite dans des vrombissements de moteurs poussés à leur limite. J'observais la scène sans parvenir à rassembler mes idées. Que devais-je faire ? Courir et suivre la vague de panique ? Chercher à fuir dans la moindre ruelle, défoncer la première porte pour me mettre à l'abri ? Ou rester là, appuyé au mur, à attendre que l'ouragan se calme ?

Je distinguai, au milieu de ceux qui couraient devant moi, Mustapha, debout, la caméra à l'épaule, continuant de capter les images de l'événement. J'ai appris plus tard qu'il n'avait jamais perdu connaissance et s'était rapidement relevé pour poursuivre son travail. Il me donnait un bel exemple de courage et de professionnalisme. Un rapide coup d'œil à la voiture de reportage me permit de constater qu'elle n'avait été que faiblement affectée par l'explosion. Sans plus d'hésitation, je me dirigeai vers mon compagnon qui m'accueillit avec soulagement.

— Prends vite le micro, Vincent, me dit-il de son accent nord-africain. Ils m'ont gardé « réseau » ; je suis toujours en direct.

Ses vêtements étaient en lambeaux, ses genoux saignaient. L'une de ses chaussures était manquante et son pied découvert semblait brûlé jusqu'à l'os. L'adrénaline seule le maintenait debout ; je savais qu'il ne pourrait tenir longtemps. Je retrouvai mon micro sur le sol et m'en saisit. Extérieurement, il semblait en état de fonctionner mais je n'avais aucun appareil proche pour m'en assurer. Je me plaçai face à Mustapha et cherchai mes mots.

Et cherchai.

Il n'y avait rien à dire. J'étais là, face à des milliers de téléspectateurs, face aussi sans doute à ceux qui avaient perpétré l'attentat, et je n'avais rien à dire. La fois précédente, j'étais arrivé sur les lieux après l'explosion et j'avais crié aux terroristes du Front qu'on en avait assez de leur sottise et de leur cruauté envers leurs frères. Comme si moi, l'Occidental, avec mes beaux principes et mes longues phrases apprises dans nos écoles modernes, j'avais le pouvoir de les convaincre de leurs torts.

Cette fois-ci, alors que j'avais failli y laisser ma peau, toute cette folie me paraissait hors de portée. Je savais que rien ne saurait les persuader de cesser de tuer, au hasard, parce qu'un chef d'État leur déplaisait. C'était la guerre et sa bêtise ; tout était dit.

J'ai laissé le micro tomber de mes mains et j'ai marché vers Mustapha. J'ai posé sa caméra sur le sol en cadrant en direction des gens qui fuyaient, et je l'ai soutenu jusqu'au car de reportage.

Tout près, j'ai retrouvé Charlot, assis contre le mur d'un immeuble, le visage hébété. Ses cheveux, légèrement roussis, pendaient en mèches clairsemées devant ses yeux. À ses côtés, les appareils photographiques étaient demeurés dans le sac en cuir brun.

7

Le camp n'était ni spacieux, ni confortable. Bien que le toit parût d'une bonne construction, les murs n'étaient constitués que de simples feuilles de contre-plaqué, clouées directement sur la charpente, sans isolation. Hormis un solarium donnant sur le lac, on n'y retrouvait qu'une seule pièce dans laquelle un lit, un sofa, une table et quelques chaises composaient le mobilier. Au milieu de la place, trônant tel un vieux roi fatigué, un poêle à bois sans âge semblait attendre, indifférent. Des marques de rouille, pareilles à des escarres, recouvraient l'émail éclaté d'un évier tandis qu'un comptoir douteux et des armoires menaçant de s'effondrer complétaient le décor intérieur.

La toilette n'était qu'un trou creusé dans le sol à l'extérieur. Trois murs et un toit surbaissé protégeaient l'utilisateur des regards et des intempéries.

Le paysage, en revanche, était d'une splendeur peu commune. Du sommet de la hauteur sur laquelle avait été construit le camp, une forêt luxuriante, dominée par des conifères adultes, des érables rouges et des bouleaux blancs, s'étendait à perte de vue en ondulant sous les vagues des vallons et des coteaux. Le chant des bruants et roitelets répondait aux cris des écureuils et des moucherolles, à la façon des cordes et des vents dans un concerto. Une famille de huards nageant sur le lac en contrebas se plaisait à dissoner.

Disposées à intervalles réguliers, des pierres plates servaient d'escalier et reliaient le solarium à un petit quai. Le sol, tout autour, était parsemé de fleurs printanières et de fraises sauvages.

Vincent pénétra à l'intérieur du camp et fit quelques pas en regardant ici et là autour de lui. Puis, se retournant vers l'entrée où se trouvait Marie, il écarta les bras en désignant la pièce.

— Alors ? dit-il. Tu veux toujours passer ton été ici ?

— Et toi ? répliqua-t-elle, sans bouger.

— Pas d'eau courante, il faudra donc aller puiser au lac tous les jours. Pas de douche, évidemment, ni de toilette. Beau temps, mauvais temps, on aura à sortir pour nos petits besoins. Pas de four pour cuisiner, pas de réfrigérateur...

— Pas de télé, poursuivit Marie en entrant à son tour, pas de téléphone, pas de voisins, pas de circulation, pas de chahut. La plus grande piscine dont j'aie jamais rêvé, baignade tous les jours, couchers de soleil flamboyants, étoiles garanties... Ce sera le plus bel été de ma vie.

Vincent sourit et baissa la tête en passant une main dans ses cheveux.

— Je crois que c'est pour cela que j'aimais tant ton père, dit-il. Il ne voyait jamais que le bel aspect des choses.

— Alors, qu'est-ce qu'on attend ? Guenilles, produits d'entretien et outils de fortune ; on a deux grosses journées d'ouvrage devant nous.

* * *

Quelques jours avaient passé. Le camp était devenu parfaitement habitable et Marie, en cette fin de journée, profitait des dernières lueurs de la brunante pour nager non loin du quai. Dans l'air tranquille, juste avant que ne se lève la brise du soir, les berges boisées et les couleurs du couchant se reflétaient sur le lac. Les remous provoqués par la jeune fille et le sillon que laissait un castor étaient seuls à en brouiller l'image. La plainte envoûtante d'un huard se mêlait parfois au chant des grenouilles, donnant au crépuscule une atmosphère d'irréel.

Vincent, assis dans le solarium où il écrivait sur un micro-ordinateur posé sur ses genoux, s'arrêta un moment pour observer la scène. Il s'étonna. Sur cette même planète où il ne connaissait généralement que la frénésie des aéroports et l'effervescence des villes, il se trouvait des endroits aussi sereins. Oh! bien sûr, il avait connu le désert et son silence, mais comment le comparer à cet endroit à la fois si vivant et si calme? Chaque couleur, chaque ligne, chaque son était un hymne à la douceur et à l'apaisement.

Depuis longtemps, il n'avait ressenti en lui-même une telle paix, un bonheur aussi authentique. Il se dit que la présence de Marie y était peut-être aussi pour beaucoup, mais il n'aurait su préciser jusqu'à quel point.

Il l'observa sortir de l'eau et admira la silhouette parfaite que moulait un maillot modeste. Il sourit en la voyant grimper à toute vitesse les marches alors qu'elle cherchait à échapper à la voracité des maringouins et des simulies. Dégoulinante, la serviette dans les mains, elle se précipita à l'intérieur du solarium en refermant prestement la porte derrière elle. Vincent éclata de rire. Elle le taquina en retour et entra dans le camp pour s'éponger et se rhabiller. Elle riait et se disait que le monde pouvait cesser de tourner maintenant, que le bonheur était ici et que c'était ici qu'elle voulait vivre à jamais.

Elle croyait donc ses fantômes endormis pour toujours et ne se préoccupa pas de ceux qui pouvaient habiter son compagnon. Avant que n'apparaissent les premiers signes annonçant leur réveil, le soir fit place à la nuit, la nuit à un nouveau jour et le jour à d'autres jours.

* * *

Assis à l'arrière de la jeep, un mouchoir sur le nez pour me protéger du sable que soulevait le véhicule dans sa course, je frissonnais dans les courants d'air glacial qui pénétraient sous ma chemise. Le soleil ne pointait pas encore à l'horizon, mais l'aube était avancée et je savais que la colonne était en retard. Nous roulions à grande vitesse, cahotant dangereusement sur une piste pour dromadaires. L'officier près du chauffeur était debout sur son siège, un bras au-dessus de la tête, risquant la chute à tout instant. Il faisait de grands signes aux autres tout-terrains et aux camions-mitrailleurs afin qu'ils accélèrent.

De chaque côté de la piste, le reg étendait sa peau de cailloux à perte de vue. Des chèvres, ici et là, broutaient quelques maigres buissons aux feuilles caduques, sous l'œil encore ensommeillé de leurs bergers. Ceux-ci n'étaient jamais loin, toujours à surveiller leurs bêtes, leur seule richesse. Des bédouins pour la plupart, derniers vestiges d'un nomadisme en voie d'extinction. On voyait leurs tentes de toile et de peau se confondre avec les bosses des dunes chauves.

Ils nous regardèrent passer à peine étonnés, habitués qu'ils étaient, dans ce pays meurtri par tant d'années de guerre civile, aux soldats en campagne.

Hallâdj se trouvait droit devant nous, là où se lèverait le soleil dans un moment. Il s'agissait d'un camp de fortune, aménagé de l'autre côté de la frontière par le pays voisin. S'y réfugiaient les victimes des politiques d'Al-'Abbâs ou les familles de ceux qui croupissaient dans ses prisons. Depuis un bon moment, la rumeur (et les agents du gouvernement) colportait la théorie que là prenait origine une partie des actions terroristes à l'intérieur du pays. Sans preuves, l'idée avait malgré tout fait son chemin et le camp, ce matin-là, était la cible d'Al-'Abbâs.

J'ignore pourquoi celui-ci m'avait permis

d'assister à l'expédition. Je savais qu'il s'agissait d'un acte de représailles suite à l'attentat qui avait failli nous coûter la vie à tous les deux, quelques jours plus tôt, et que je risquais d'assister davantage à un massacre qu'à un vulgaire combat homme contre homme. Je savais également que je ne pouvais décrire les horreurs dont je serais témoin sans risquer de provoquer une vive réaction de la part de la communauté internationale. Alors, qu'attendait-il encore de moi ?

Pareils aux Rois mages, nous suivions Vénus, l'étoile du berger, dont l'éclat vif et laiteux semblait nous indiquer la route. Mais nous n'apportions avec nous ni cadeaux, ni paix ; que des balles, des mortiers et des bombes. Deux chasseurs de l'aviation devaient nous précéder pour ouvrir un passage à la frontière et semer la panique dans le camp au moment où nous y pénétrerions. Ceux-ci avaient sans doute maintenant une trop grande avance sur nous et c'est pourquoi l'officier devant moi continuait de s'agiter avec énergie et nervosité.

* * *

Le soleil avait fini par poindre et Hallâdj commençait à s'animer. Quelques enfants traînaient déjà les premiers seaux en direction du puits, véritable luxe dans un camp de réfugiés en plein désert. Les femmes, l'esprit embrumé par un sommeil trop court et trop léger, rattachaient leur voile et lissaient les pans de leur robe, ces robes de laine trop chaudes ou de coton trop fraîches qu'elles n'avaient plus quittées depuis des semaines. L'eau s'avérait trop précieuse dans cet environnement hostile pour la gaspiller à faire la lessive.

Un seul bâtiment était construit d'un mélange de bois de cèdre et de boue séchée; il servait de dispensaire. Le reste du camp n'était qu'un ramassis de toiles, de peaux de dromadaires ou de vieux tissus plus ou moins rapiécés, tendus sur des charpentes de bois anémiques. Mince abri contre la poussière qui rabotait la gorge et les poumons, contre le froid qui pénétrait partout pour planter ses crocs dès le soir venu. L'ambiance sonore d'Hallâdj n'était jamais composée de rires ou de chants, mais de toux et de crachats.

Personne n'entendit venir les chasseurs qui surgirent brusquement au-dessus des têtes. Le rugissement des moteurs mêlé à l'explosion des bombes provoqua une panique immédiate et totale. Les abris volèrent sous le souffle des champignons de sable, emportant avec eux de maigres ustensiles, quelques grabats de cordes tissées et des corps démembrés. Un premier camion blindé défonça le grillage qui entourait les abris et c'est une meute kaki, pareille à des démons surgissant des enfers, qui s'abattit sur le camp. J'ai vu les femmes, les enfants, les vieillards, quelques hommes d'âge mûr aussi, crouler les uns sur les autres, déchiquetés par la pluie d'acier qui venait les faucher.

Puisque la plupart des opérations terroristes du P.P.L. devait venir du camp, les services secrets laissaient croire qu'il devait s'y dissimuler une grande quantité d'armes, tant lourdes que légères. En fait d'armes, je n'en ai vu aucune, et pour tout terroriste, quatre ou cinq hommes en âge de combattre, un couteau-éplucheur à la main.

Les combattants du front s'étaient-ils donc éparpillés dans le désert, mis au courant de l'intervention imminente des forces d'Al-'Abbâs ? Je l'ignore. Je serais étonné qu'ils aient ainsi laissé aux bouchers de l'armée leurs femmes et leurs enfants. Je crois plutôt que les services de renseignements du gouvernement s'étaient complètement gourés ou, plus probablement, qu'ils ont fait semblant de s'être gourés. Je crois qu'Al-'Abbâs savait que les bases du Front se trouvaient quelque part ailleurs, mais il avait cherché une revanche facile, un plaisir gratuit à massacrer certains opprimés de son régime qui, jusque-là, lui avaient échappé et le narguaient de l'autre côté de la frontière.

8

Un après-midi où il pleuvait abondamment, une atmosphère morose qui semblait propice à l'inspiration s'était installée. Vincent, absorbé par ses écrits, ne lâchait plus son ordinateur. Marie l'avait observé, un peu en retrait, derrière un bouquin. Par moments, le regard enflammé, il écrivait si vite que le son des touches qu'enfonçaient ses doigts ressemblait au crépitement d'une mitraillette. Il n'était plus avec elle. Depuis trois longues heures, il ne lui avait pas adressé un seul regard, littéralement emporté par l'action qui ne se déroulait que pour lui.

À intervalles réguliers, elle voyait la moiteur apparaître sur son front et les larmes perler au coin de ses paupières. Elle ne savait rien de cet homme. Jamais il ne s'était ouvert à elle et elle en prenait soudain conscience. Peut-être était-ce parce que jamais elle n'avait cherché à lire en lui. Bien que paraissant invincible comme le paraissent les pères aux yeux des enfants, pouvait-il également être habité de fantômes qu'il cherchait à dissimuler en lui-même ? Elle se sentit coupable de n'y avoir jamais songé, de ne pas s'en être souciée.

Au cours des derniers jours, il est vrai, l'image du père que Vincent avait pu représenter s'était estompée et, de plus en plus, elle voyait en lui simplement l'homme qu'il était. Elle s'avoua ne plus l'aimer pour la force qu'il avait auparavant inspirée, mais pour la faiblesse qu'il montrait en des moments comme celui-ci.

Doucement, elle posa son livre, se leva et alla s'asseoir près de lui. Il eut un léger sursaut et passa rapidement une main sur sa joue. Sans un mot, elle chercha à se blottir contre lui, repliant les bras sur elle-même afin de se faire la plus petite possible. D'une main, il l'étreignit en posant un long baiser dans ses cheveux.

— Je t'aime, Vincent, dit-elle.

— Je t'aime aussi, petite abeille, répondit-il, la voix étrangement enrouée, l'esprit encore embrumé par les mots qu'il venait d'écrire.

— Je veux dire : je t'aime comme on aime celui qui est tout pour vous. Je t'aime comme on aime celui avec qui on veut partager sa vie.

Elle sentit l'étreinte se relâcher; il y eut un moment de silence.

— Un jour, tu trouveras un garçon qui voudra t'épouser, petite abeille. Ce jour-là, je serai à la fois triste et heureux. Triste de perdre celle dont j'aurais aimé être le père, heureux de partager son nouveau bonheur.

Elle leva la tête et chercha à ancrer son regard dans le sien. Sa voix trembla légèrement, mais demeura ferme.

— Regarde-moi, Vincent. Je ne suis plus la petite abeille, je n'ai plus onze ans. Je suis devenue une femme. Celle dont tu aurais pu être le père s'est évanouie le jour où tu es parti. Regarde-moi, Vincent; je te dis que c'est une femme qui te parle; c'est une femme qui t'aime!

Il souleva les paupières et chercha des mots, des mots qui sauraient remettre de l'ordre dans son esprit troublé. Il n'avait plus l'habitude des femmes, ni des paroles, ni des gestes dont il fallait user à leur égard. Il y avait longtemps qu'il avait séduit la dernière et se demanda jusqu'à quel point Marie se leurrait elle-même.

Puis il se demanda également jusqu'à quel point il s'était lui-même leurré sur son expérience homosexuelle avec Al-'Abbâs. Jamais il ne s'était senti à l'aise dans ce rôle, mais, faute de mieux, il avait su trouver, chez cet amant puissant, l'amour dont il avait alors besoin pour combler chez lui les lacunes affectives qui le gangrenaient. Il s'était interrogé plus souvent sur son honnêteté envers les sentiments de son compagnon qu'envers son manque d'éthique professionnelle.

— Embrasse-moi, Vincent, insistait Marie. Embrasse-moi et dis-moi que tu m'aimes aussi.

Elle avançait les lèvres et il ne savait comment retirer les siennes, éviter ce qu'il regretterait peut-être à jamais. Un baiser, et la petite abeille disparaîtrait pour toujours; un recul, et... il ne saurait dire ce qui mourrait en lui. Il ferma les yeux et attendit comme on attend un impact. Il ferma les yeux en se disant que l'absence de réaction valait mieux qu'une action que l'on regretterait toute sa vie. Lui qui savait généralement si bien mener sa destinée, prendre les décisions les plus audacieuses dans les situations les plus délicates, il avait tout à coup l'impression d'être parvenu au bout d'un chemin qui se terminait brusquement, sans plus de pavés, sans plus d'embranchements.

Lorsqu'il sentit les lèvres de Marie rejoindre les siennes, c'était plus qu'une caresse, il aurait dit un cramponnement. Mais la prise était trop douce et toute son âme, subitement, fut aspirée par cette bouche.

* * *

Marie avait l'impression de faire l'amour pour la première fois. Le corps de Vincent au-dessus d'elle n'avait rien du corps des adolescents avachis, aux yeux trop bleus, par lesquels elle s'était parfois laissé séduire. Il n'avait rien non plus de la musculature trop forte, trop dure, qui l'avait attirée chez les membres de la bande à Bruno. C'était un corps aux muscles souples et gracieux, un corps solide aussi, aux gestes assurés ; c'était un corps dont la force intrinsèque ne s'acquérait peut-être qu'avec l'âge.

La jeune fille flottait littéralement au-dessus du lit, portée par les caresses que lui prodiguait son partenaire. Après la tentative de viol dont elle avait été victime, elle croyait ne plus jamais pouvoir supporter que les mains d'un homme se posent sur sa chair. Mais les doigts de Vincent étaient d'une telle douceur, ils la touchaient d'une telle façon, qu'elle ne pouvait que se laisser emporter par cette impression que l'homme manipulait les pétales d'une fleur, les ailes d'un papillon.

Elle ne ressentait pas son poids sur elle, c'était un simple contact, comme une caresse à la longueur du corps. Et ses lèvres qu'il faisait délicatement glisser sur sa peau, comme dans un baiser sans fin, provoquaient chez elle un frisson intense dont les vagues allaient et venaient sans jamais vouloir mourir. Elle le serra contre elle, le plus fort qu'elle pouvait en croisant les jambes autour des siennes. Il demeura alors immobile, le visage enfoui dans son cou.

Un moment passa ainsi, sans plus de mouvement, sans rien d'autre qu'une étreinte immobile, comme une pause. Puis, le moment s'allongea, parut infini ; les caresses ne revenaient pas.

Marie sentit contre son oreille une humidité soudaine tandis que le corps de Vincent était secoué de légers spasmes. Elle ouvrit les yeux, ne vit que l'aspect défraîchi du plafond. Elle saisit Vincent aux épaules et le repoussa doucement. Son visage apparut alors, les joues baignées de larmes.

— Mon Dieu ! Vincent, que se passe-t-il ?

Le regard fixe, les gestes incertains, il se releva lentement pour demeurer assis sur le bord du lit. Son corps était parcouru de frissons et sa lèvre inférieure tremblait.

— Vincent, qu'est-ce qu'il y a ?

Il tourna la tête vers elle, cherchant à la regarder, mais ses yeux demeuraient désespérément dans un monde qu'il n'arrivait pas à quitter.

* * *

« Frappez avec la force du rocher qui s'abat sur un œuf ! » avait recommandé Al-'Abbâs à ses officiers. Mais c'était pis que cela. C'était comme tirer une mouche au calibre douze, pêcher dans un ruisseau avec un dragueur. Même Goliath n'avait pas été aussi puissant face à David.

Demeuré assis au fond de la jeep, j'étais resté un long moment paralysé par l'horreur qui avait éclaté autour de moi. Je savais que lorsque la première onde de choc se serait évanouie, le pillage et le viol deviendraient inévitables.

J'ai fini par sauter du véhicule et courir en tous sens. J'essayais, ici et là, de raisonner un officier, de détourner le tir d'un soldat... Ils me toléraient à peine autour d'eux, me repoussant brutalement à chaque fois, ivres de fureur et grisés par la puissance que leur procuraient le sang qui coule et la victoire facile. La plupart avaient mâchouillé le qat tout le long du parcours vers Hallâdj ; il leur restait bien peu de conscience pour écouter mes arguments.

À ma droite, un homme abattit, à bout portant, un enfant d'une balle à la tête. Sans même le regarder, presque indifférent. Immédiatement après, il pointait son arme sur une autre victime, avec le même blasement. À ma gauche, un autre soldat réduisait en bouillie, à coups de crosse, la tête d'un bébé, sous les yeux de sa mère... qu'il abattait ensuite. Et partout, partout autour de moi, des cris, des tirs, du sang. Du sang ! Tellement de sang qu'on aurait dit qu'il suintait du sable et des pierres. Tellement de sang qu'il ruisselait en rigoles dans les moindres creux, s'infiltrant entre les cailloux du reg comme pour le nourrir d'une vie qu'il ne possédait pas.

Le tir des armes s'était espacé et le cri des femmes avait rajeuni. Les soldats avaient épargné les plus belles et les plus jeunes pour la grande finale. Le « bonus », comme ils disaient entre eux.

J'ai vu toutes les formes de sévices et je ne crois pas que le Diable lui-même ait autant d'imagination. J'ai vu le viol d'une femme par un homme, puis par deux hommes, puis par plusieurs à tour de rôle. J'ai vu ceux qui blasphémaient, injuriaient et frappaient en violant. Et j'ai vu ceux qui tuaient. J'ai vu le canon des armes qu'on insérait sans ménagement dans le vagin, la détente sur laquelle on appuyait en riant.

Pour moi, le temps s'était arrêté depuis un moment. J'étais debout, pantois, au milieu du cauchemar et je semblais attendre, tout simplement, de me réveiller. Je restais là, immobile, étranger à la scène, comme un spectateur à qui le film déplaît et qui attend le générique pour sortir.

Alors, je l'ai vue. Elle n'avait pas plus de dix ou onze ans. De longs cheveux noirs, de grands yeux profonds, belle comme une aube. Elle ne criait ni ne pleurait, comme résignée à son sort, à la mort. Peut-être parce qu'elle était déjà morte dans sa tête. Pendant que le soldat la pénétrait avec toute la brutalité de sa haine, elle me regardait. Non pas pour supplier ni pour implorer mon aide, seulement parce qu'elle sentait que comme elle, j'étais étranger à ce qui se passait autour. Elle me regardait comme on regarde celui avec qui l'on aimerait lier conversation. Moi, j'avais l'impression de contempler une poupée de chiffon qu'un molosse se plaisait à secouer entre ses crocs pour la désarticuler.

Elle continua de me regarder même lorsque le soldat appuya un revolver sous son menton. J'aurai été la dernière image que ses yeux auront observée. Au moment où j'ai vu éclater sa calotte crânienne, un long cri a pris naissance au plus profond de moi, a remonté tout mon être pareil à une locomotive en furie et est sorti de ma gorge avec une puissance dont je n'aurais pas cru mes poumons capables.

Je ne saurais dire ce qui m'animait ; ce n'était plus moi. C'était comme une bête féroce et vengeresse qui s'était emparée de mon corps pour agir. Du moins, c'est l'excuse dont j'userais si je ressentais le moindre remords. J'ai bondi sur le soldat, lui ai arraché le revolver des mains et l'ai abattu avec sa propre arme. Ensuite, le film devient confus. Je ne saurais dire si j'ai tiré d'autres balles, abattu d'autres hommes. Je me souviens d'un officier qui est apparu à mon côté et de la crosse près de mon visage, juste avant de perdre connaissance.

La seule raison pour laquelle je suis toujours vivant est que tous ces hommes craignaient la réaction d'Al-'Abbâs. Moi, pourtant, j'aurais préféré être mort ; mort plutôt que de me réveiller de nouveau dans ce monde de fous.

* * *

Marie avait noué un drap autour de son corps et se tenait debout devant la porte donnant sur le solarium. Ses yeux étaient fixés sur les milliers de ronds de pluie qui faisaient frémir le lac.

— Comment pourrai-je désormais faire l'amour à une femme ? poursuivit la voix presque inaudible de Vincent. Comment pourrai-je faire l'amour sans voir éclater sous mes yeux la tête de cette enfant ?

Elle revint s'asseoir doucement près de lui et posa la tête contre son épaule.

— Et à toi, de surcroît ? insista l'homme. Toi qui resteras toujours pour moi la plus belle des enfants de onze ans ?

— Je t'aime, Vincent, dit-elle simplement. Je t'aime et c'est tout. Avec tes principes, avec ton passé, avec tes fantômes. Je t'aime et je veux passer le reste de ma vie auprès de toi.

— Pour quelques mois, il le faudra, en tant que père et fille, et afin que je puisse te protéger. Ensuite, quand mon livre sera paru, nous devrons...

— Nous ne devrons rien du tout ! Ou nous marier, ou je m'en fous ! Je t'aime et tu m'aimes aussi, même si tu as peur de l'admettre. (Elle saisit la tête de l'homme entre ses mains et le força à tourner son visage vers elle.) Regarde-moi bien dans les yeux, Vincent. Tu m'as tuée lorsque je te voyais comme mon père et que tu es parti. Tu ne me tueras pas une seconde fois maintenant que je te vois comme mon amant.

Il prit les mains de la jeune fille, les fit glisser sur son visage et les serra entre les siennes.

— J'ai plus du double de ton âge ; que feras-tu lorsque je serai devenu un vieil homme impotent ?

— Quand tu en seras à ce stade, je serai encore suffisamment jeune et belle pour me remarier. Tu vois ? Tu n'as pas à t'inquiéter pour mon avenir.

Ils rirent ensemble, un peu faussement, puis se blottirent à nouveau l'un contre l'autre.

— Je sais que tu as vécu des horreurs difficiles à décrire, reprit Marie d'une voix redevenue douce, mais je t'en prie, donne-moi... donne-nous la chance de combattre ce qui nous habite. Seuls, nous souffrirons à jamais ; ensemble, nous avons la possibilité d'en sortir.

Il la serra davantage contre lui en retenant un sanglot.

— Tu es d'accord, n'est-ce pas ?

Il ne parvenait pas à parler, la gorge obstruée, les yeux embués. Dans la nuit sans lune qu'était sa vie, il venait de repérer une petite luciole au loin. C'était bien peu, il le savait, mais si un essaim complet venait à percer la pénombre, il y ferait peut-être assez clair pour voir autour.

— Tu es d'accord ?

Sa tête résonnait encore de trop de cris pour qu'il puisse répondre. Il demeurait silencieux et immobile, une enfant de onze ans accrochée à lui.

9

Bruno plaçait des boîtes de conserve sur les étagères. Il était revêtu d'un surtout blanc dont les manches étaient garnies de bandes rouges et jaunes, les couleurs de l'enseigne extérieure du dépanneur. Ses cheveux étaient peignés vers l'arrière et une barbe de quelques jours dissimulait la tuméfaction qui tardait à s'évanouir de ses joues. Son nez, légèrement déplacé vers la droite, portait une cicatrice à la racine, vestige d'une chirurgie récente. À intervalles réguliers, tel un tic, il portait les doigts à ses arcades sourcilières, comme pour s'assurer qu'elles étaient revenues à un volume normal. Il y avait déjà plus d'un mois pourtant qu'il avait eu à subir les foudres du copain de Marie et panser ses plaies. Il savait bien que son visage, à plus ou moins long terme, reprendrait son aspect habituel et que plus rien, ou à peu près, ne témoignerait de cette terrible raclée. Mais c'étaient les plaies intérieures, ouvertes ce soir-là, dont il souffrait le plus. Des plaies qu'il s'était lui-même infligées par son comportement et sa bêtise.

Bruno, aveuglé par la beauté de Marie, n'avait pas pris conscience des autres aspects qui l'attiraient chez la jeune fille. Sa force intérieure, par exemple, sa détermination, son sens aigu des responsabilités... Il croyait ne ressentir pour elle que le même attrait qu'avaient exercé sur lui les filles précédentes : le désir sexuel. Pourtant, depuis qu'il ne la voyait plus, une douleur nouvelle, inconnue de lui, avait pris naissance dans sa poitrine : le besoin de la retrouver et partager avec elle autre chose qu'une partie de draps ; une promenade, une conversation banale, un simple sourire. Et il s'étonnait de rêver du jour où il la reverrait pour lui expliquer son comportement, se promettant même, lui, le macho tout-puissant, de lui demander pardon.

Le regard meurtri par la morosité, devenue sa compagne inséparable, il travaillait machinalement, ne se rendant même pas compte que deux clients venaient d'entrer dans le magasin. Ces derniers se dirigèrent vers le comptoir et, sans paraître vouloir acheter quoi que ce soit, s'entretinrent avec la jeune fille rousse qui y tenait la caisse.

Bruno ne réagit qu'au moment où il entendit prononcer le nom de Marie. Il remarqua alors les deux hommes au teint brun, cheveux noirs, portant chacun une moustache. L'un était vêtu d'un blouson de suède à col de mouton, le second d'un épais pardessus. Il s'approcha d'eux.

— Je peux vous aider ? demanda-t-il, une boîte de conserve dans chaque main.

L'homme au pardessus se tourna vers lui. Il n'hésita qu'une demi-seconde.

— Êtes-vous le propriétaire ? s'informa-t-il avec un accent non familier.

— Je suis le gérant, répondit Bruno. Mon père est propriétaire.

L'étranger étira un mince sourire.

— Dans ce cas, vous devez être Bruno, cet ami dont on nous a parlé. Vous pouvez peut-être nous aider.

D'un air mystérieux, il invita le garçon à s'éloigner du comptoir tandis que son acolyte demeurait auprès de la caissière.

— Dites-moi, commença-t-il d'une voix chuchotante, n'avez-vous pas eu ici pendant un moment une employée du nom de Marie Blondin ?

Le regard de Bruno tiqua à peine.

— Oui. Jusqu'à il y a un peu plus d'un mois.

— Nous aimerions la voir. Savez-vous où

nous pourrions la trouver ?

— Non, elle a quitté le village ; je ne sais pas où elle est allée. Informez-vous à la famille chez qui elle demeurait, ils vous diront peut-être où elle se trouve.

L'homme prit un air mystérieux, jetant des regards autour de lui comme s'il craignait d'être entendu.

— C'est que, voyez-vous, nous nous sommes déjà informés auprès de ces gens et... ils nous ont dit qu'elle était partie à Québec. Le problème, c'est qu'ils ignorent son adresse dans cette ville. Nous avons pensé que, peut-être, un copain à elle pourrait... davantage...

Il levait les sourcils, hésitant à dessein, attendant une réponse.

— Qu'est-ce que vous lui voulez ? demanda alors Bruno, soudain suspicieux.

L'étranger reprit son expression mystérieuse.

— En fait, ce n'est pas elle que nous recherchons, c'est l'homme qui la tient en otage.

La réponse eut chez Bruno l'effet d'un torrent qui se jette soudain dans un bassin vide.

— Ot... En otage ?

— Chhh ! (L'étranger lorgna vers le comptoir comme pour s'assurer que la jeune fille rousse n'avait rien entendu. Il reprit son chuchotement.) En otage, oui. Voyez-vous, cet homme... (Il s'interrompit, relevant la tête, les sourcils froncés.) Me jurez-vous le silence ?

— Oui, répondit aussitôt Bruno, intrigué comme jamais.

— Voilà. Cet homme est un ancien ami de la famille de mademoiselle Blondin, mais il est également un agent double travaillant pour les Arabes. Il a vendu à des pays du Tiers-Monde des informations secrètes relativement à la fabrication d'armes nucléaires. Nous, à la G.R.C., avons rapidement compris son manège, mais il a réussi à nous filer entre les doigts. Prétextant des retrouvailles familiales, il a convaincu la jeune demoiselle de le suivre, et maintenant, il la retient prisonnière quelque part en faisant chanter les services secrets canadiens. Vous comprenez bien qu'étant donné les renseignements ultra-confidentiels qu'il détient, nous ne pouvons contacter la Sûreté du Québec.

La tête de Bruno s'était embrumée, parvenant difficilement à suivre la logique des déclarations de l'inconnu. Mais son esprit avait vivement réagi à un aspect de cette confidence : Marie était en danger et il avait la possibilité de la retrouver et de lui venir en aide. L'accent avec lequel l'homme parlait entretint cependant un doute chez le garçon.

— Et qu'est-ce qui me prouve que vous dites la vérité ? s'inquiéta-t-il. Les Arabes dans cette histoire-là, c'est vous autres et pas ce gars.

Avec l'habileté du comédien, l'étranger parut s'offusquer, mais pas trop. Il se montra ensuite d'une impatience contenue.

— Écoute, c'est simple. Hassan et moi faisons partie de la branche arabe des services de renseignements canadiens. Nous sommes des agents du Canada spécialisés dans l'infiltration des mouvements terroristes au Moyen-Orient. C'est pourquoi nous avons été mêlés à ce dossier. En général, bien sûr, il nous est interdit de faire ces confidences, mais dans un cas de l'importance de celui-ci, nous avons toute liberté de recruter quiconque nous paraîtra suffisamment intègre pour nous porter assistance. Nous avons besoin de tous les renseignements que tu jugeras pertinents de nous transmettre afin de nous aider à retrouver ta copine et de la libérer de l'emprise de ce criminel.

L'esprit de Bruno n'enregistrait plus les paroles de l'étranger. Une seule chose occupait maintenant ses pensées : Marie courait un danger et la chance lui était offerte de se racheter à ses yeux tout en se vengeant de l'homme qui l'avait si sauvagement battu.

— Je ne sais pas où sont Marie et ce gars, dit-il simplement, son cerveau bouillonnant comme jamais auparavant.

En fait, une vague idée commençait à poindre chez lui. Avant de partir, Marie et son compagnon avaient fait une grande provision de denrées non périssables comme lorsqu'on se prépare pour un long séjour à la pêche ou à la chasse. Ils étaient donc quelque part en forêt.

— Vous êtes certain de ne connaître aucun numéro de téléphone, insista l'étranger, aucun indice pouvant nous être utile. Tout détail, même banal en apparence, pourrait nous mettre sur la piste.

L'homme avait dévoilé ses incisives dans une grimace nerveuse. Bruno hésita encore une seconde.

Marie racontait parfois combien elle avait apprécié un séjour au camp de chasse appartenant au couple chez qui elle habitait. Elle pouvait bien y avoir conduit son ravisseur.

— Non, je ne sais pas, dit-il en faisant une moue. Je n'ai vraiment aucune idée.

Le visage de l'homme se durcit une fraction de seconde, puis il soupira en hochant la tête.

— Tant pis, dit-il en tapotant l'épaule de Bruno, on ne désespère pas. Sois assuré qu'on fera tout pour retrouver ta copine. (Il porta un index à ses lèvres.) Bien sûr, tu ne dis rien à personne, hein ?

— Bien sûr.

L'étranger rejoignit son compagnon et, au moment d'ouvrir la porte pour sortir, se tourna une dernière fois vers le garçon.

— Nous couchons au motel là-bas. Si jamais il t'arrivait...

— Je vous contacte tout de suite, c'est promis.

Sans saluer, les deux hommes quittèrent le dépanneur pour se retrouver dans leur automobile. Ils n'échangèrent aucun regard, aucune parole ; pour eux, la situation était claire : il fallait exercer une surveillance continuelle sur le garçon. Tôt ou tard, ils en étaient persuadés, celui-ci les mènerait à l'homme qu'ils recherchaient.

Les journées de Marie n'étaient plus que baignades, pêche et promenades dans les bois. Vincent, lui, ne quittait ni le solarium, ni son ordinateur. À l'aide d'un adaptateur, il en rechargeait régulièrement les piles à même la batterie de la voiture, en espérant ne pas avoir à redescendre « vers la mer » pour se ravitailler en essence avant d'avoir terminé.

La nuit, ils dormaient tous les deux dans le même lit, enlacés, comme de jeunes mariés. Mais ils n'avaient plus tenté de faire l'amour; ils attendaient. Sans savoir quoi au juste; ils attendaient. Les lucioles, peut-être.

Ce matin-là, Marie était partie pêcher dans un petit ruisseau non loin. La canne à pêche sur l'épaule, le panier à truites en bandoulière, elle fredonnait un petit air dont les paroles ne lui revenaient pas en mémoire. Parvenue au premier détour de la route de gravier, là où le camp disparaissait derrière elle, elle sursauta si violemment qu'elle en laissa tomber son attirail.

Bruno, debout bien droit devant un V.T.T., semblait l'attendre. D'un seul coup, la réalité parut s'estomper et ses cauchemars reprendre vie. L'ogre était de retour !

Puis, tout se passa très vite. Avant même que l'un ou l'autre n'ait le temps d'esquisser le moindre geste, de dire la moindre parole, une voiture apparut en trombe en soulevant un nuage de poussière. Les freins engagés, les roues braquées au maximum, le véhicule dérapa légèrement et stoppa en creusant la route de quatre larges plaies. Deux hommes en sortirent aussitôt, revolver au poing.

* * *

Dans sa chaise habituelle, Vincent cherchait les premières vagues de l'inspiration en observant distraitement quelques juncos se disputer des graines sur le sol. Il crut entendre la chute d'eau augmenter son débit à la charge du lac, ou peut-être était-ce le vent dans les conifères. Quand il comprit qu'il s'agissait d'un véhicule qui approchait, celui-ci se stationnait déjà près du camp.

Vincent bondit sur ses pieds, mais ce ne fut que pour voir trois hommes descendre de voiture en entraînant Marie avec eux. Rapidement, il esquissa dans sa tête divers scénarios allant de la fuite à l'attaque-surprise, mais avant qu'il n'ait le temps de réagir, la porte s'ouvrait violemment et Marie se précipitait vers lui.

Il l'accueillit en s'assurant du regard qu'elle n'était pas blessée.

— As *salaam alaykum, mukaatib*, salua l'homme en pardessus. Nous te trouvons enfin.

— Qui êtes-vous ? Que voul ?...

— Ce sont les hommes dont je t'ai parlé, dit Marie. Ceux qui sont venus au dépanneur. (Elle respira profondément comme pour éviter d'élever le ton, de projeter son dégoût.) Lui, c'est Bruno, celui qui...

— Je sais. Je le reconnais.

— Marie. (Bruno s'était avancé d'un pas, le regard partagé de fureur contre Vincent et de tendresse pour la jeune fille.) Marie, tu ne sais pas qui est cet homme. C'est un espion dangereux pour... pour un pays quelque part en Arabie. Il t'a conté je ne sais trop quoi pour t'embarquer avec lui. Marie, écoute, je veux...

— Suffit !

Sans regarder Bruno, l'un des hommes avait levé une main, irrité. Le garçon se tut immédiatement, mais ne quitta pas Marie du regard.

— Vincent Juneau, reprit l'homme en

soulevant discrètement le rebord de sa veste afin que la crosse de son revolver devienne visible, je dois avouer que tu nous as bien joués.

— Qui êtes-vous ? demanda Vincent.

— Tu peux m'appeler Ahmed et lui, Hassan. Nous sommes de Montréal, mais nous avons des contacts très étroits avec le Moyen-Orient. On nous a envoyés pour avoir une petite discussion avec toi. (Il rit.) Nous avons vraiment cru que tu étais reparti pour Québec. Nous avons perdu plusieurs jours à t'y rechercher. Finalement, nous sommes revenus à Rivière-aux-Orignaux pour reprendre l'enquête à partir du début. (Il lorgna vers Bruno.) C'est là que nous avons rencontré ce charmant garçon, qui n'est pas très fort en géographie ni en matière de filature.

Vincent parut s'impatienter.

— Vous êtes des fidèles de l'ancien gouvernement d'Al-'Abbâs ou du Front ?

— Ni l'un ni l'autre. Disons que nous sommes simplement du P.P.L. Mais, asseyez-vous, je vous en prie, nous ne sommes pas ici pour nous battre, mais pour négocier.

— Je n'ai rien à négocier et je n'ai pas envie de m'asseoir.

Ahmed lissa sa moustache du bout des doigts.

— *Mukaatib*, je ne crois pas que tu sois en position de me contrarier. J'ai des ordres que j'exécuterai et j'aimerais, autant que possible, nous rendre à tous la tâche moins pénible. Tu vas donc me faire le plaisir de t'asseoir là, sur le sofa, avec ta compagne, et je demanderais aussi à ce jeune homme de bien vouloir prendre place plus loin sur le coin du lit.

La voix d'Ahmed était calme, posée, tout en demeurant fortement autoritaire. Il ne laissait planer aucun doute sur son intention de garder la situation bien en mains. D'un air résigné, Vincent s'exécuta accompagné d'une Marie un peu tremblotante. Lorsque Bruno se fut assis à son tour, Ahmed fit une moue exagérée pour montrer sa satisfaction. Tournant alors une chaise vers lui, il y posa le pied et se pencha légèrement afin d'appuyer ses coudes contre sa cuisse. Hassan remarqua l'ordinateur que Vincent avait posé sur la table et le tendit à son compagnon.

— Ah ! Voilà bien l'activité à laquelle nous pensions que tu t'adonnais, dit Ahmed. J'imagine qu'il s'agit de ton livre sur nous, notre pays, le Moyen-Orient en général. Je ne sais pas où tu en es rendu, mais il serait facile de t'obliger à tout recommencer. Il suffirait de jeter ce précieux instrument dans le lac en bas et... plus rien.

Vincent soutint le regard d'Ahmed sans réagir. Il cherchait, le plus possible, à paraître indifférent, à faire comme si les menaces ne sauraient avoir raison de lui. Il sembla gagner la première manche lorsque l'Arabe détourna les yeux le premier en replaçant l'ordinateur sur la table.

— Mais ce n'est pas ce que nous voulons, reprit celui-ci. C'est beaucoup plus simple. Nous voulons le dossier, les photos que nous savons être en ta possession. Le livre, tu peux en faire ce que tu veux. Sans photos, sans preuves, il n'aura que la force de ta parole. Il ne sera qu'un ouvrage de plus parmi les centaines qui se publient chaque année sur la corruption de fonctionnaires et de diplomates occidentaux.

— Alors, pourquoi vous inquiéter?

Ahmed soupira bruyamment.

— On ne sait pas exactement comment tu as pu convaincre Al-'Abbâs de te remettre ces documents. Sans doute les as-tu carrément dérobés au moment de sa mort. Qu'importe! Tu les as en ta possession et nous voulons qu'ils soient détruits. Et pour cela, écoute-moi bien, nous sommes prêts à tout. (Il pencha son visage vers Vincent.) Absolument à tout.

* * *

De retour dans la capitale, je ne me suis pas rendu au palais présidentiel. J'ai erré dans la ville pendant deux, trois jours peut-être. Sans manger, sans boire, comme un zombi. Les vêtements en lambeaux, couvert de sang, je marchais au hasard dans les rues, les bazars, au milieu d'une foule indifférente. Je dormais sur le trottoir, en compagnie de la faune de la nuit : des êtres brisés comme moi, mais aussi des familles entières qui n'avaient d'autre abri qu'une couverture tendue au-dessus de leur tête. On m'accueillait sans mot dire, sans question, comme si la misère était avare de détails. Discrètement, j'essayais de goûter ma part de la chaleur que diffusaient les éphémères feux de feuilles et d'immondices. À cette seule lueur, on ne remarquait pas le riche Occidental, sale et hirsute, qui partageait leur dénuement. Je me recroquevillais sur moi-même, espérant qu'un sommeil sans rêves me délivrerait, l'espace de quelques heures, de mon enfer.

Mais pour mon malheur, ma tête n'était plus qu'une salle de cinéma où le même film, sans relâche, rejouait les mêmes scènes, recréait la même tempête, *ad nauseam*. J'ai peut-être chevauché la ligne qui sépare la raison de la folie ; je ne sais trop. Je n'ai repris mes esprits qu'après avoir autant versé de larmes que j'avais vu de sang couler à Hallâdj.

Ce matin-là, je me suis réveillé alors qu'un chien léchait la plaie sur le côté de ma tête. D'un geste brusque, je l'ai repoussé et me suis levé sur mon séant pour m'adosser contre un mur de pierre auprès duquel j'avais dormi. Non loin de moi, une femme d'une maigreur ahurissante donnait le sein à un enfant anémique. Près d'elle, un second enfant, plus âgé, tentait de boire à son autre sein, mais elle le repoussait de la main. Un peu plus loin, dans une encoignure, un homme ronflait et sifflait, les poumons ravagés par la maladie. Les pieds nus, bleuis par l'air glacial, il nichait le visage contre ses genoux, les bras autour de ses jambes. Sur le trottoir d'en face, des scènes similaires se répétaient. Des êtres aux rêves vides s'éveillaient, le regard déjà mort, à une réalité encore plus vide. Des enfants, pour se réchauffer, pourchassaient un rat gros comme un chat.

Je passai de longues minutes à observer la vie, la vraie vie, d'un pays qui regorgeait pourtant de toute la richesse de son pétrole. Je finis de secouer ma torpeur et décidai de me lever pour marcher jusque chez mon ami Mustapha qui habitait à quelques rues de là.

Son appartement était minuscule et il y vivait en compagnie de sa femme, ses quatre enfants, ses deux sœurs et sa mère. Ceux-ci m'accueillirent avec toute la stupéfaction que pouvait inspirer mon aspect. Je les rassurai en racontant que j'avais été victime d'un accident la veille et que j'avais été sans connaissance une partie de la nuit. Mustapha m'offrit de me conduire à l'hôpital, mais je parvins à troquer son offre pour un peu d'eau, du savon et un taxi qui me conduirait au palais présidentiel.

J'avais envie maintenant de revoir Al-'Abbâs. J'avais besoin qu'il m'explique le pourquoi de l'horreur à laquelle il m'avait fait assister. Je voulais savoir à quoi il se plaisait à jouer avec moi.

À la porte d'entrée, comme d'habitude, le détecteur de métal a résonné à mon approche. Je ne faisais même plus sursauter les gardiens avec les nombreux appareils photographiques que je traînais continuellement avec moi. J'ai traversé le hall et j'ai été accueilli par les officiers habituels.

— Ah! Vincent! Ça boume, la fiesta?

C'était l'accueil traditionnel qu'on me réservait. Un mélange de mauvais français de France et d'espagnol. Ceux-là n'avaient jamais compris.

Mon pas résonna entre les murs trop hauts du palais et je trouvai Al-'Abbâs près de la porte de son bureau, en conversation avec son frère et deux officiers supérieurs. Deux gardes du corps en civil se trouvaient également à ses côtés. Vêtu de son treillis de camouflage, il avait l'allure fière et athlétique qui le caractérisait. Il me regarda approcher avec un mélange de soulagement et d'appréhension.

— Ibrahim, commençai-je d'une voix brisée qui n'était plus la mienne. Ibrahim, je... vous...

— Vincent, je suis heureux de te voir.

Lui, il avait sa voix des bons jours. Il passa un bras autour de mon épaule, s'attardant une seconde sur la blessure à ma tête.

— J'étais inquiet à ton sujet; je m'apprêtais à envoyer des hommes à ta recherche.

Il fit signe aux officiers et aux gardes du corps de s'éclipser et il m'entraîna avec lui dans son bureau. Il referma la porte derrière nous et se tourna vers moi pour poser sa grosse main sur ma joue.

— Vincent, j'étais vraiment très inquiet. Je devrais te gronder, tu sais.

Je croyais avoir versé toutes les larmes de mon corps, mais mes yeux s'embuèrent de nouveau. Je n'aurais pas voulu pourtant; je paraissais déjà suffisamment faible devant lui.

— Pourquoi, Ibrahim ? répétai-je.

Il garda sa main sur ma joue.

— Tu m'as fait gagner mon pari, Vincent. Je savais que tu ne publierais rien. J'avais juré à mon état-major que tu étais fidèle à notre cause, que ton métier de journaliste passait au second plan devant les impératifs de notre gouvernement. Tu es le premier Occidental à ne pas essayer de nous dénigrer.

— Un... pari...

— Nous savons à quel point ce à quoi tu as assisté était horrible ; nous ne pouvons qu'apprécier davantage ce que tu fais pour nous.

Je savais que ce « nous » était un « nous » de modestie ; je savais qu'il signifiait « je ».

— Un pari, Ibrahim ? Vous avez fait massacrer des femmes et des enfants dans le simple but de vérifier ma loyauté envers votre cause ?

Il retira sa main en faisant une moue qui se voulait triste. Mais je connaissais son regard, je savais qu'il se moquait de la question.

— Non, bien sûr. Cela fut une regrettable erreur de la part de nos services de renseignements. Nous avons cru que les hommes du Front se terraient à Hallâdj avec leurs femmes pour mieux dissimuler les armes dans le camp de réfugiés. Nous nous attendions à une terrible lutte armée.

— Alors, vos soldats auraient dû s'en retourner, Ibrahim. Ils n'avaient qu'à rengainer leurs armes et s'en retourner !

— Je sais, oui ; c'est vrai. Mais nous sommes en guerre et il est parfois difficile...

Il s'arrêta, voyant ma lèvre inférieure qui s'était mise à trembler. Je vis un bref éclair de compassion dans son regard, le genre de compassion que l'on ressent à l'endroit d'un enfant qui pleure un jouet brisé.

Il posa les doigts sur ma lèvre comme s'il espérait ainsi en réprimer le tremblement. Puis il approcha son visage et sa bouche était presque sur la mienne.

— C'était un pari pour mes généraux et une preuve d'affection pour moi, murmura-t-il. Ta place est ici ; je saurai prendre soin de toi.

Je ne peux dire ce que je ressentais vraiment. Ce n'était ni de la haine, ni du dégoût, non. J'aimais cet homme et je savais qu'il m'aimait aussi. Je savais également que, par amour pour moi, il choisissait de vivre son homosexualité, fût-ce en secret. Mais ma tête résonnait de tant de cris, mon âme était secouée de tant de remous, que rien ne pouvait être aussi simple qu'il l'aurait souhaité.

Quand il a posé les lèvres sur les miennes, j'ai fermé les yeux et mon index a pressé la détente du revolver. Dans ma tête à moi, c'était la fillette violée qui tirait. Avec l'arme qui l'avait abattue.

Ibrahim a soulevé les paupières, mais il n'y avait déjà plus de vie dans ses yeux. Il s'est écroulé d'un seul coup et c'était la première fois que je le voyais réagir sans grâce.

Alors qu'il était là, à mes pieds, je lui récitai, à mi-voix, une strophe d'Aragon. Je savais qu'il la connaissait; je savais qu'elle lui plaisait.

> *Et leur sang rouge ruisselle*
> *Même couleur, même éclat*
> *Celui qui croyait au ciel*
> *Celui qui n'y croyait pas.*

Il ne me restait plus qu'à attendre, maintenant. Les gardes avaient sûrement entendu le coup de feu et ils n'avaient plus qu'à venir me cueillir ici, près de ma victime. Je n'avais pas l'intention de fuir.

Contre toute attente, c'est Atef qui pénétra dans le bureau. Il jugea rapidement de la situation et referma la porte derrière lui. Il s'approcha de moi, me retira l'arme encore fumante des mains et m'invita à sortir par une porte de service. Je demeurais là, pantois, sans réagir.

— Va, *mukaatib*, insista-t-il. Ne refuse pas cette chance que je t'offre. Les autres membres du Front ne seront pas tous aussi reconnaissants pour ce cadeau que tu nous fais. Pars, car aujourd'hui, le pouvoir change de mains.

Je le regardais alors qu'il me repoussait vers la sortie.

— Pourquoi, Atef ? demandai-je.

— Parce que je t'aime bien. Moi aussi, j'ai apprécié l'honnêteté avec laquelle tu as servi la cause qui te semblait juste. Mais tu es naïf, *mukaatib*. L'état-major d'Al-'Abbâs était beaucoup plus gangrené que toi ou lui ne l'auriez soupçonné. Maintenant, file et quitte ce pays avant que le nouveau gouvernement ne mette ta tête à prix.

J'ai fini par obéir ; je suis allé me réfugier à l'ambassade suisse. De là, par quelques manœuvres diplomatiques habiles, on est parvenu au bout de quelques jours à me faire gagner l'Europe.

L'attentat, bien sûr, a été attribué aux membres du Front. Il aurait été difficile au P.P.L. de se présenter en libérateur si le peuple avait su que le dictateur avait été abattu par le mignon de service.

* * *

— Il est facile pour vous, les Occidentaux, de nous qualifier de barbares, dit Ahmed d'une voix qui se voulait plus outragée qu'il ne l'était vraiment. Vous jugez par vos beaux principes les horreurs de nos combats, mais si des soldats étrangers, bien habillés, bien armés par une superpuissance, débarquaient dans vos maisons pour y égorger vos femmes et vos enfants, vous aussi, vous chercheriez à venger vos pertes et à détruire la source de vos maux.

— Mon livre ne porte aucun jugement sur les Arabes, Ahmed, répondit Vincent d'une voix au ton et au rythme calculés. Ni sur vos politiques, ni sur vos conflits. Je décris simplement mon expérience parmi vous, sans chercher à comprendre, comme une tranche de vie dans notre vécu collectif humain. Je sais à quel point ton peuple a souffert et souffre encore. Oh! oui, crois-moi, je le sais! J'ai pleuré plus souvent sur les enfants arabes que sur mes peines. J'aime ton pays, Ahmed; j'aime le Moyen-Orient. Quand les armes s'y tairont lorsque s'évanouira la folie des hommes, j'y retournerai pour y retrouver des enfants qui riront et joueront comme devraient rire et jouer tous les enfants du monde. Des enfants qui n'auront plus peur du métal qui tombe du ciel.

Il y eut un long silence et Vincent put juger de l'effet de ses paroles au doute qu'il voyait s'installer dans les yeux d'Ahmed. Marie, jusque-là coite, prit la parole. Elle s'adressa à Ahmed en lorgnant du côté de Bruno.

— Vous savez, il se produit ici, en temps de paix, certaines horreurs que l'on retrouve chez vous en temps de guerre.

Bruno accusa la remarque d'un air presque pathétique. Ahmed constata qu'il s'agissait d'une attaque personnelle contre le garçon et ne chercha pas à comprendre davantage. Il prit une grande inspiration, donnant ainsi une expression exagérée de son impatience.

— Bon, reprit-il à l'égard de Vincent. De toute façon, je ne suis pas ici pour discuter avec toi. Je veux les documents et tu t'éviteras beaucoup d'ennuis en me les remettant.

— Je n'ai pas l'intention de remettre quoi que ce soit à qui que ce soit, Ahmed.

— Tu n'es pas vraiment en position de discuter, *mukaatib*! (Il sortit son revolver dans un grand geste, presque théâtral.) Ou tu nous donnes le dossier, ou je t'abats ; c'est aussi simple que ça. Et sois certain que je le ferai sans hésiter.

Vincent gardait un calme si assuré que

Marie se demanda s'il prenait Ahmed au sérieux.

— Si tu m'abats, adieu dossier.

— Au moins, rien ne sera publié.

— Tu te trompes. Les documents et les photos sont présentement sous enveloppe scellée aux bureaux d'un quotidien de Montréal. Si, à la fin du mois prochain, je n'ai pas donné de nouvelles, le journal a toute liberté de les publier avec légendes à l'appui. (Il eut une moue moqueuse.) Une forme d'assurance-santé que je me suis payée.

Le visage d'Ahmed s'empourpra et Vincent se demanda s'il devait se réjouir ou s'inquiéter au sujet de ce point qu'il venait de marquer. Il sentit Marie tressaillir près de lui. Sur le lit, à côté, Bruno était devenu nerveux également.

Ahmed leva le canon de son arme en direction de Marie.

— Très bien. Si je ne peux t'abattre, ce sera cette jeune personne qui écopera. Une martyre occidentale pour notre cause. Qu'en dis-tu?

— Tu mêles des cartes qui n'ont rien à voir dans ce jeu, Ahmed. Marie ignore tout de cette histoire, alors tu...

— Une innocente, comme tous les martyrs. Comme toutes les femmes de mon pays qui meurent à cause de la fourberie des puissances étrangères. Allâh l'accueillera dans son paradis.

Ahmed ne se douta pas une seconde de l'attaque. Son arme fut violemment projetée de côté alors que Bruno bondissait sur lui avec la force et la rapidité d'un fauve.

— Es-tu malade dans la tête, toi, sacrament?

Deux ou trois coups de poing furent portés à la hauteur du visage et les deux hommes roulèrent sur le sol. La chaise sur laquelle s'appuyait Ahmed fut projetée contre le mur tandis que la table était repoussée près du poêle. L'ordinateur effectua une glissade dangereuse, mais demeura en équilibre sur le rebord du meuble.

Vincent bondit à son tour sur ses pieds, mais Hassan, plus prompt, dégaina son arme pour le stopper dans son élan. Ce dernier attendit une seconde puis, levant le canon au-dessus de sa tête, pressa la détente. Une violente détonation se fit entendre et des morceaux de plafond volèrent en tous sens.

— Suffit!

La voix d'Hassan ressemblait davantage au rugissement du lion qu'à un outil d'élocution. Il saisit Bruno par les cheveux et appuya son arme sur sa tempe.

— Toi, tu retournes t'asseoir sur le lit et tu te tiens tranquille ! (Il s'adressa ensuite à Ahmed.) Et toi, maintenant que tu as fait ton petit numéro de Rambo, tu récupères ton arme et tu la boucles ! Je me charge des discussions.

Il avait parlé en arabe, mais Vincent avait compris. Hassan avait joué les seconds, pourtant il semblait à présent s'avérer le vrai meneur du jeu. Du bout de son arme, il invita Vincent à reprendre place auprès de Marie.

Il redressa la table près de lui et y posa une fesse. Il soupira longuement puis, laissant pendre son arme vers le sol afin de ne pas se faire plus menaçant que nécessaire, reprit la parole.

— Je crois qu'Ahmed a omis ici quelques détails dans le but de rendre la négociation plus avantageuse pour notre cause. Le Parti appréciera son dévouement, mais je ne crois pas qu'il s'agisse de la meilleure façon de discuter entre individus. Il s'est peut-être aussi laissé aller à son antipathie naturelle pour les *mukaatib* en général, les reporters, et pour le *mukaatib* Juneau en particulier.

Il fixa son regard profondément dans celui de Vincent, un regard hypnotisant, polaire, qui provoqua, chez le journaliste, une sensation désagréable au niveau de la nuque.

— Vous parlez bien, monsieur, mais vous ne dites pas toujours la vérité. J'ai lu la plupart des textes que vous avez écrits depuis que vous êtes au Moyen-Orient. J'ai vu plusieurs de vos reportages à la télévision. Oui, vous avez parfois jugé les actions que vous avez décrites ; oui, vous avez qualifié de « barbares » les méthodes que le Front a employées. Mais ça n'est pas ce qui importe. Cette guerre n'est pas la vôtre ; c'est *notre* guerre. Ces enfants qui meurent sont *nos* enfants. Vos gouvernements nous aident par politique interposée, c'est vrai. Comme ils aident également nos ennemis. Les richesses de notre pays attisent les convoitises et c'est pourquoi nous aurons toujours à le défendre.

« Les documents en votre possession sont capitaux pour maintenir nos alliances avec certains pays occidentaux. L'enjeu est très grand. Les publier risque d'entraîner des représailles économiques qui affaibliraient notre gouvernement et feraient pâtir davantage la population qui souffre déjà suffisamment. (Il toisa brièvement Ahmed.) Mais nous ne sommes pas ici non plus pour vous menacer. Nous savons exactement, je dis bien exactement, le rôle que vous jouiez auprès d'Al-'Abbâs. Nous savons aussi ce que vous avez fait pour nous. Personne ne le criera, d'un côté comme de l'autre, mais nous savons ce que nous vous devons.

Il porta une main à l'intérieur de sa veste et en retira une petite enveloppe blanche.

— Voici ce que vous proposent ceux qui nous envoient. Vous trouverez ici une note vous indiquant le nom d'une banque au Costa-Rica et un numéro de compte à votre nom. Cinq cent mille dollars américains puisés à même les avoirs personnels d'Al-'Abbâs y ont été déposés. Je peux vous accompagner au village où vous pourrez effectuer les vérifications nécessaires par téléphone. Vous nous remettez alors les photos et les documents, et n'entendrez plus jamais parler de nous.

D'un geste ennuyé, Vincent pressa les mains contre ses tempes et, après avoir plongé les doigts dans ses cheveux, alla les croiser au-dessus de sa tête. Il poussa un bruyant soupir, garda les yeux au plafond un moment, puis les ramena vers Hassan.

— Vous savez, Hassan, commença-t-il, je ne crois pas une seconde que vous soyez un membre du Front et encore moins un tueur ou un terroriste. Je crois même que vous avez passé la majeure partie de votre vie ici, en Amérique. Vous savez pourquoi ? (Il sourit.) Vous parlez arabe avec un léger accent anglais.

Hassan serra les mâchoires, hésitant à répliquer. Vincent reprit.

— Il n'y a pas de honte. On lit facilement en vous la fierté de vos origines ; vous avez à cœur le développement de votre pays et de votre peuple. C'est tout en votre honneur. Mais comme vous n'avez probablement jamais été au Moyen-Orient ou l'avez quitté depuis si longtemps, les parfums et les sons qui vous y accueillent au matin vous sont inconnus. Tout comme vous sont inconnus les lignes douces du désert et l'émerveillement qu'il provoque à la nuit tombée lorsque l'on a soudain l'impression de se retrouver entre les étoiles et le néant. Vous sont tout aussi inconnues, cependant, les horreurs qui s'y sont produites. À cause d'Al-'Abbâs, oui, mais à cause aussi de ceux qui détiennent actuellement le pouvoir. La guerre est une chose si terrible, Hassan, qu'il ne faut jamais cesser de la dénoncer afin qu'un jour, tous ensemble, nous disions : « Assez ! C'est fini, nous n'en voulons plus ! » (Sa main effectua un geste vague dans l'espace et il se mit à parler en mettant l'accent sur chaque syllabe.) Aussi, quel que soit le prix offert, je ne peux pas, Hassan. Je ne veux pas remettre ces documents.

L'Arabe avait desserré les mâchoires, mais

166

il s'obstinait à conserver son regard sévère.

— Alors, tant pis, laissa-t-il tomber d'un ton qui se voulait résigné; ils seront publiés. Mais ni vous, ni votre amie n'aurez l'occasion de vous en réjouir.

La mine de Vincent, à son tour, se fit plus sévère.

— Le fait de jouer au soldat comme vous le faites présentement avec votre copain Ahmed peut vous paraître amusant et vous donner un sentiment de puissance, mais vous est-il déjà arrivé, après avoir pointé votre arme sur la tempe d'un homme, comme vous l'avez fait plus tôt avec ce garçon, de lui ouvrir la tête? Avez-vous la moindre idée de la quantité de sang qui s'écoule d'un corps que l'on vient d'abattre? (Il insista pour saisir le regard d'Hassan dans le sien.) Vous êtes lié au P.P.L. ou au Front, qu'importe, et ceux-ci vous demandent, en tant que résident québécois, de vous occuper du problème que je représente. Seriez-vous réellement capable, Hassan, de nous abattre tous les trois de sang-froid comme le dernier des assassins?

— Par Allâh, *mukaatib*, ! jura Ahmed. Moi! Moi, je le ferai!

De la main, Hassan fit taire son compagnon tout en gardant les yeux fixés sur Vincent.

— Oui, dit-il d'une voix ferme. Pour la cause, pour mon pays, je le ferai.

Vincent se tourna vers Marie. Alors qu'il s'attendait à retrouver une expression inquiète sur son visage, il fut surpris d'y lire une certaine exaspération, d'y trouver les signes d'une colère naissante. Il voulut passer un bras autour de ses épaules, mais elle le repoussa brutalement en bondissant sur ses pieds.

— Mais vous le faites exprès, ou quoi ? éclata-t-elle en posant des yeux furibonds sur chacun des hommes. Ça vous amuse les voies sans issue ? De ne pas voir les avenues ? Et vous vous étonnez qu'il y ait des guerres ? Mais regardez-vous aller ! (Elle se mit à désigner Hassan et Vincent plusieurs fois, à tour de rôle.) « Tu me donnes les documents ou je te tue. » « Si tu me tues, tu n'auras pas les documents. » « Alors, je te paie. » « Je n'en veux pas de ton argent. » Mais vous êtes ridicules !

Elle gesticulait d'une façon inhabituelle, en effectuant de grands mouvements des bras pour appuyer ses paroles. Ses cheveux rattachés en une épaisse natte derrière la tête dessinaient des courbes rapides, virevoltaient sous l'effet de sa colère.

— Vous êtes à deux doigts d'un compromis et vous ne le voyez même pas ! (Elle pointa son index vers Hassan et Ahmed.) Eux, d'une part, parce que leur offre manque d'honnêteté, parce qu'ils s'amusent à jouer aux soldats, parce qu'ils ne voient qu'avec les yeux du Parti et sont prêts à user encore de violence comme si cette solution seule permettait de régler les problèmes... (Puis, vers Vincent.) ... et toi, parce que ton petit orgueil cherche à publier coûte que coûte ces Bon Dieu de documents qui, on le sait, aggraveraient la crise dans ce pays maudit ! Et les gens que vous prétendez défendre dans tout ça ? (Elle pointait de nouveau Hassan qui la regardait bouche bée.) Qu'est-ce que cinq cent mille dollars comparés aux dizaines de millions que cet Al-'Abbâs a dû accumuler dans ses coffres personnels au détriment du peuple ? Combien il possède, vous croyez ? Dix, vingt, cinquante, cent millions, peut-être ? Détournés à même les avoirs du pays. Personne n'est dupe ; tous les dictateurs amassent des sommes phénoménales. Votre nouveau gouvernement, s'il a à cœur le bien du peuple, utilisera-t-il cet argent pour construire des écoles, des hôpitaux, soigner les victimes de ses propres actes criminels ? Ne va-t-il pas plutôt enrichir ses membres au pouvoir sans se soucier davantage de ses petites gens ? Combien ils vont vous donner à vous, hein ? Rien. Pas un sou. Ils vont mettre la fortune d'Al-'Abbâs dans leurs poches en vous remerciant d'avoir aidé la cause de leur parti.

« Alors, voilà ce que moi, je propose : les maudits documents resteront cachés et secrets le temps que vous dépensiez l'argent d'Al-'Abbâs pour le peuple. Ensuite... (Elle se tourna vers son compagnon pour le regarder droit dans les yeux.) Ensuite, Vincent vous les remettra en totalité sans que leur existence ou leur contenu aient été dévoilés à qui que ce soit. (Elle prit une grande inspiration, se croisa les bras et se laissa tomber plus qu'elle ne s'assit sur le sofa.) Il me semble que la solution n'est pas si compliquée.

Les quatre hommes ressemblaient à des personnages de bandes dessinées. Les yeux écarquillés, les lèvres entrouvertes, ils fixaient tous Marie qui avait figé sa colère dans une moue sévère, le regard sur le mur d'en face. Pour Hassan et Ahmed, la réaction de la jeune fille correspondait au schéma qu'ils se faisaient du comportement des Occidentales. Ces dernières prenaient une part active aux différends des hommes, participaient à la prise de décision et, une fois sur deux, dirigeaient la conversation. Ils n'étaient donc qu'à demi étonnés. Bruno, lui, s'était maintes fois frotté au caractère de Marie et n'était frappé que par la simplicité de la solution qu'elle proposait. Le plus surpris était Vincent. Pour lui, c'était comme si tout un pan de son passé venait d'être soufflé d'un trait. C'était comme si la petite abeille qu'il s'était entêté à vouloir protéger s'était soudainement transformée dans le creux de sa main en une lionne rugissante. En quelques secondes, il échappait au passé pour se réveiller au présent. Il n'y avait plus d'enfant de onze ans. Il y avait une femme étrangère, qu'il n'avait pas vue vieillir, et qui lui rappelait brusquement qu'un jour, il avait lui-même tué ce passé. Il prenait alors conscience qu'à l'instar d'un arbre, le temps l'avait éloigné de ses racines et qu'il ne les retrouverait que le jour où, trop vieux, il retournerait au sol. Pendant une seconde, il se sentit étourdi, perdu, comme devant un décès qu'on nous annonce.

Ahmed, le premier, brisa le silence.

— La demoiselle est bien naïve, dit-il. Ça ne peut pas être aussi simple. La discussion ne se limite pas à vous et à nous ; il y a tout un conseil d'officiers et de ministres qui nous envoie. Les offres ont été votées entre eux et nous, on ne sait rien des avoirs du dictateur. On ne peut pas discuter d'une...

— Attends, Ahmed ! coupa Vincent en

gardant son regard encore un instant sur Marie. Elle a raison. (Il se retourna vers les deux Arabes.) En publiant ces documents, la paix ne reviendra pas au Moyen-Orient. Les conflits s'accentueront et le peuple, une fois de plus, en paiera le prix. C'est vrai que je me préparais à profiter de la situation pour venger les victimes des actions du Front. Marie, avec sa naïveté peut-être, mais son honnêteté surtout, nous donne ici une leçon. Voir au-delà de nos convictions personnelles. Les documents ne doivent pas être publiés, je le reconnais. (Il inspira profondément sous la mine sceptique d'Hassan et d'Ahmed.) Voici ma proposition : je ne vous remettrai pas personnellement les documents. Ni à vous, ni à votre gouvernement. Je donnerai le tout à des représentants du Croissant-Rouge qui considéreront la pertinence de demander à votre gouvernement certaines... « faveurs » en retour des pièces.

— Le Croissant-Rouge est un organisme apolitique ; il ne peut donc...

— Précisément. Les documents ne seront pas utilisés à des fins politiques, mais humanitaires. Écoutez, l'organisme ne sera pas mis au courant du contenu, je les aviserai simplement de l'endroit où il sera possible de les récupérer. S'ils refusent de se mouiller dans cette affaire, ils donnent l'information au Parti et ce dernier sort grand gagnant ; s'ils acceptent, ils choisiront peut-être de donner les documents avant que le Parti ait tenu sa promesse. Dans ce dernier cas, ce sera le Parti qui aura le fardeau de prouver qu'il sait aussi tenir ses engagements.

— Tu nous prends pour des imbéciles, *mukaatib* ? répliqua Ahmed. Tu crois que tout bêtement, on se fierait à tes beaux serments de ne rien dévoiler et prendrait le risque de...

— Plusieurs ministres dans ton pays connaissent la valeur de ma parole, dit Vincent. Qu'on informe le capitaine Atef Ismaïl de ma proposition ; je suis persuadé qu'il ne cherchera pas à la repousser.

Hassan, à son tour, prit la parole. Sa voix était calme et Vincent remarqua qu'il avait pris un débit plus lent.

— Cette proposition, dit-il, même si elle me paraît farfelue, mérite en effet qu'on s'y arrête. L'idée de troquer les documents contre des garanties, des ententes qui permettraient au Croissant-Rouge d'améliorer les conditions de vie de notre peuple me plaît. Bien sûr, il nous faut faire confiance en la parole de monsieur Juneau, mais nous n'avons également que la parole du Parti que les avoirs d'Al-'Abbâs ne seront pas utilisés de nouveau à des fins militaires. Dans la situation présente, ce compromis me paraît acceptable et j'en ferai part à nos... supérieurs.

Sans élever la voix, Ahmed chercha à protester.

— Le Parti n'acceptera jamais une entente qui ne me paraît que trop à l'avantage du *mukaatib*.

— Oh ! ils accepteront, Ahmed ! Pour eux, c'est un moindre mal que les documents aient à transiter par le Croissant-Rouge, quitte à leur construire un hôpital. Je peux vous dire que le coût d'une telle construction correspond à une infime fraction seulement des montants laissés par Ibrahim dans ses coffres. Je sais qu'il possédait plus, immensément plus, que ce que vous pouvez imaginer. Croyez-moi, ils accepteront. Et votre peuple ne pourra qu'applaudir à la générosité de ce nouveau gouvernement qui se soucie tellement des problèmes du pays, et sa reconnaissance vous en sera éternellement acquise.

Ahmed fit la moue, cherchant à paraître plus perplexe qu'il ne l'était vraiment. Vincent savait l'avoir convaincu.

Hassan rengaina son arme en posant une main sur l'épaule de son acolyte.

— De toute façon, si monsieur Juneau nous faisait faux bond, il sait qu'il ne trouverait aucun pays assez éloigné, aucune forêt assez dense pour se cacher indéfiniment de nos partisans.

Vincent sourit simplement, envahi par l'étrange impression qu'en perdant, il avait gagné. Il se tourna vers Marie et constata que celle-ci avait perdu une partie de son air boudeur. Il l'invita à se rapprocher de lui, mais elle hésitait à répondre, prenant plaisir à se faire prier. Elle accepta finalement de poser la tête sur son épaule lorsqu'elle constata le dépit que les avances de Vincent provoquaient chez Bruno.

* * *

Ahmed, pour échapper aux assauts des simulies, ces petites mouches noires voraces, s'était réfugié dans la voiture où il mordait dans un sandwich. Vincent et Hassan, quant à eux, marchaient à pas lents dans un petit sentier tapé par les orignaux, sur les bords du lac. Ils parlaient des merveilles du Moyen-Orient, de cette région du monde qui avait conquis l'un et que l'autre aurait bien aimé connaître.

Près des marches menant au quai, Marie avait trouvé une pierre plate sur laquelle elle s'était assise. Distraitement, elle laissait vagabonder son regard sur les deux hommes et le paysage. Elle était fière de son intervention plus tôt ; fière d'avoir secoué ces hommes butés dans leurs principes et leur orgueil ; fière d'avoir participé à dénouer une situation sans issue où chacun, bêtement, demeurait sur ses positions sans vraiment chercher de solution. Elle sourit en songeant que nombre de conflits se régleraient peut-être d'eux-mêmes si on en confiait l'examen aux femmes.

Marie entendit une branche craquer derrière elle et son visage se rembrunit. Elle ne tourna pas la tête, mais devina que Bruno venait s'asseoir auprès d'elle. Son malaise prit la forme d'une légère nausée et elle dut faire des efforts pour repousser les images de la soirée maudite qui cherchaient à refaire surface. Il y eut un moment de silence. Trop long, trop lourd. Une étrange immobilité qui finit par vous bousculer. Marie songea à se lever et s'éloigner ; c'est alors qu'il se décida à parler. Sa voix n'était plus vraiment la sienne ; Marie la reconnaissait difficilement. Il parut triste, sincère... et, pour une fois, humble.

— Marie, je voulais te dire... je voudrais... Marie, je m'excuse pour ce que j'ai fait... pour mon action stupide. Je voulais pas... j'étais saoul. Je sais, c'est pas une excuse, mais je voudrais que tu... que tu me pardonnes.

Il laissa tomber les derniers mots rapidement, trop rapidement, comme s'il voulait les dire tout en souhaitant ne pas avoir eu à les prononcer. L'exercice, pour lui, semblait des plus pénibles. Pourtant, mille fois dans sa tête, il avait rêvé de ce moment, rêvé de se retrouver seul avec elle pour lui parler. Mille fois, il avait jaugé le moindre geste, la moindre parole dont il lui faudrait user. Tout semblait couler de source, finissait par paraître facile. Les mots venaient naturellement et la réaction de Marie, rapidement, tournait à son avantage. La réalité, par contre, semblait tout autre. Les belles grandes phrases qu'il avait si bien tournées, pesées, répétées ne venaient plus. Elles demeuraient obstinément enfouies, absentes, comme une traîtrise.

— Si j'ai agi de même, reprit-il, c'est que... c'est parce que je t'aime... t'aime bien, Marie. C'est un sentiment nouveau pour moi; je ne savais ce qui m'arrivait. Comme je ne suis pas habitué à me faire rejeter, j'ai cherché à te prendre de force. Je sais que je n'aurais pas dû agir comme ça, c'est pour ça que... que j'voudrais... que j'te demande pardon.

Elle ne tourna pas la tête, de crainte de revoir l'ogre. La voix déjà, même douce et repentante, exigeait d'elle des efforts pénibles pour ne pas sombrer de nouveau dans la douleur du cauchemar. Elle desserra un peu les lèvres et chuchota plutôt qu'elle ne parla.

— Je sais qu'il faut pardonner. On dit qu'en appliquant le dicton « Œil pour œil, dent pour dent », bientôt, la Terre entière sera borgne et édentée. Je veux bien. Si le pardon signifie ne jamais chercher à se venger, vivre en essayant de ne pas se laisser détruire par le souvenir de ce soir-là ; oui, je veux bien pardonner. Mais ne m'en demande pas plus.

Elle n'avait pas prononcé son nom. Sans savoir pourquoi, elle n'y parvenait pas. Comme si ce détail simple lui permettait de maintenir une distance supplémentaire avec le garçon.

— Si tu veux, je peux attendre, Marie. Attendre que tu oublies mes niaiseries et que... et que tu m'aimes aussi à ton tour.

Elle tourna brusquement la tête vers lui et regretta aussitôt de lui faire voir les larmes qui apparaissaient maintenant dans ses yeux.

— Que je t'aime en retour ? Tu entres dans ma vie comme un rhinocéros qui charge dans un magasin de porcelaine, et tu me demandes ensuite s'il me reste quelque chose à te vendre ?

Elle se leva en détournant la tête de nouveau. Elle fit quelques pas en direction de l'escalier puis s'arrêta.

— Chaque regard que je pose maintenant sur toi, chaque son que mes oreilles perçoivent de toi ne sont plus que vinaigre versé sur une plaie qui ne se refermera peut-être jamais.

Elle n'attendit pas qu'il réplique, incapable de l'entendre de nouveau. Elle concentra ses pensées sur Vincent qu'elle apercevait en contrebas, et s'engagea dans l'escalier. Elle se dit qu'elle avait trouvé là la seule bouée lui permettant de garder la tête hors de l'eau : un homme dont elle s'était éprise et qu'elle aimerait aussi longtemps que son cœur battrait dans sa poitrine.

Épilogue

Malgré la fenêtre gigantesque du bureau, Marie n'apercevait qu'une partie du ciel, masqué par l'immeuble d'en face. Au-dessus des toits givrés, comme si elle cherchait à crever les nuages, l'antenne d'une tour de communication pointait son stylet. Ce matin, au réveil, la neige avait étendu un premier édredon ouaté sur les rives du fleuve et quelques bruants des neiges, venus s'ébrouer dans la baignoire d'oiseaux, avaient picoré les graines dans la mangeoire. Avec eux, ils emportaient les ultimes effluves de l'été.

Marie fixait le dehors, les coudes appuyés sur son bureau, le visage dans les mains. Elle était étrangère à la frénésie de la salle de rédaction, à la dizaine de collègues pendus au téléphone ou martelant rageusement les touches d'un ordinateur. Sur le verre de ses lunettes, le reflet de son curseur clignotait doucement.

Le téléphone fit entendre son timbre trop aigu au moment même où son courrier était jeté négligemment sur le coin du bureau. Elle sursauta. Dans un soupir contrarié, elle décrocha le combiné tandis qu'une femme d'âge mûr prenait place sur une chaise à côté. Vêtue d'une robe sombre ceinte à la taille, elle avait coiffé ses cheveux gris d'un foulard de soie usé, noué derrière. Son visage, sec comme un cuir trop vieux, semblait vouloir craquer à chaque grimace. Marie lui cligna de l'œil tout en poursuivant sa conversation.

— Oh! je t'en prie, disait-elle, épargne-moi tes sermons; je sais très bien que je suis en retard! (...) Peut-être que si tu cessais de m'appeler à tout moment pour me demander où j'en suis, j'aurais déjà terminé, pas vrai? (...) Bon, ne panique pas et respire par le nez. *Plug* ton *modem*, je t'envoie le jus dans dix minutes. (...) C'est ça, continue de rêver car il n'y a que de cette façon que tu souperas avec moi. Salut!

Elle raccrocha d'un geste sec.

— Maudit épais!

— Des problèmes avec notre chef de pupitre bien-aimé?

Elle se rabattit contre le dossier de sa chaise en haussant les épaules.

— Non, pas vraiment des problèmes. Il me fait la morale parce que j'ai un peu trop fignolé mes derniers textes. Il devrait être content de compter une perfectionniste dans son équipe de cloches. Oh ! excuse-moi, Angèle ! Je ne t'incluais pas dans le tas, bien sûr.

— J'avais compris. Tiens, j'ai ramassé ton courrier en passant. Ton homme semble savoir que tu es plus souvent ici que chez toi, car il t'envoie une lettre du Moyen-Orient et l'a adressée au bureau plutôt qu'à la maison.

— Ah ! oui ?

Marie s'empressa de reprendre la liasse de communiqués et d'enveloppes diverses posées sur le bureau. Elle repéra rapidement un timbre marqué de caractères arabes et reconnut aussitôt l'écriture de Vincent sur l'enveloppe. Pendant un moment, du bout des doigts, elle caressa le petit rectangle blanc tandis que, discrète, Angèle s'éclipsait. Marie ferma les yeux et le sourire de Vincent plana dans l'espace devant elle. Telle une brûlure, elle ressentit la douleur que procurait cette séparation de quelques jours. Depuis six ans qu'ils vivaient ensemble, jamais ils n'avaient été éloignés l'un de l'autre si longtemps.

Voilà un peu plus d'un mois, Vincent avait reçu une invitation officielle du Croissant-Rouge afin de participer à une rencontre au Moyen-Orient à titre d'observateur indépendant. Quelques membres de la communauté arabe de Montréal l'accompagnaient, dont Hassan, pour qui c'était la première visite dans son pays d'origine. Extrêmement excité à l'idée de pouvoir retourner en toute impunité dans cette région troublée, Vincent s'était empressé d'accepter. Il savait qu'il y serait bien reçu à cause d'abord de l'accueil favorable que les communautés arabes internationales avaient réservé à son livre sur le Moyen-Orient, et à cause surtout du fait qu'il n'avait pas manqué à sa parole en ne publiant pas les documents secrets d'Al-'Abbâs.

Marie eut un air attendri.

Un autre sourire venait d'apparaître à côté de celui de Vincent. Un sourire qui ressemblait à celui de l'homme, mais sur un visage plus jeune. Le visage d'une enfant au nez retroussé, aux yeux vifs, aux longs cheveux bruns. Le sourire de la petite fille née de leur union. La main de Marie flotta doucement dans l'air comme si elle cherchait à caresser les deux fantômes devant ses paupières closes; puis, sans plus attendre, ouvrit l'enveloppe.

Marie,

Voilà moins d'une semaine que je suis éloigné de toi et déjà, ton absence me blesse cruellement.

Nous aurions dû insister davantage auprès de tes patrons afin de t'obtenir quelques jours de congé. Heureusement, la présence de Camille à mes côtés comble en partie le vide de l'éloignement.

Nous faisons un bien bon voyage. J'ai pu constater des progrès énormes dans la région, et ce qu'il y a de réellement encourageant c'est que ce n'est pas simplement dû aux documents d'Al-'Abbâs ; j'ai senti une volonté véritable de la part des dirigeants du P.P.L. d'améliorer les conditions de vie des habitants du pays. Le Croissant-Rouge a fait construire un hôpital, trois immeubles d'habitation et deux écoles dans la capitale, trois dispensaires en régions éloignées, et a mis sur pied divers programmes pour aider les plus démunis qui tentent de survivre dans les bidonvilles.

Après une brève rencontre privée, les membres du Croissant-Rouge m'ont laissé remettre personnellement les documents entre les mains du colonel Atef Ismaïl, ministre de la Défense. Je craignais une réception un peu froide, mais au contraire, j'ai été reçu presque en ami. Tous les membres du gouvernement avaient lu mon livre sur la région. À quelques exceptions près, ils l'ont considéré conforme à la réalité et honnête. Je t'avoue sincèrement en être soulagé.

Ce matin, je suis allé me recueillir devant le monument érigé en mémoire du massacre d'Hallâdj. Il s'agit d'une stèle de marbre noire, gravée d'un simple poème arabe et de la date de l'attaque. J'avais fermé les yeux, tenant par la main une Camille plus calme que d'habitude. Une fois de plus, je revoyais mourir cette fillette de onze ans, cette petite âme pure dont j'ignorerai à jamais le nom. Je m'abandonnais à nouveau à mes angoisses, mes remords, lorsque j'ai senti soudain une présence à nos côtés. Nous étions seuls, bien sûr, mais c'était comme si quelqu'un, par-dessus mon épaule, cherchait à me parler.

J'ai alors ressenti une grande paix m'envahir, comme un oiseau captif qui parvient soudain à s'envoler. Bien sûr, à l'instar d'Ibrahim, je ne crois ni en Dieu ni au diable, mais... peut-être que je vais croire aux anges. La fillette, me semblait-il, se tenait au-dessus de moi, sereine, ses souffrances apaisées. Elle m'invitait également à faire de même, à ne pas sombrer inutilement dans un passé qu'on ne peut remanier. Je sentais son souffle contre ma joue, ses petites mains qui frôlaient mes cheveux. Elle ne me remercia pas de l'avoir vengée, elle me pardonna. Me pardonna d'avoir usé de cette violence qui l'avait elle-même fait souffrir. J'avais accusé Ibrahim de n'avoir pas accordé de procès au colonel Kassem avant de l'abattre. Pourtant, moi non plus, je n'ai pas accordé ce recours à mon compagnon. Je me suis dit, pour ma défense, que si par mon geste précipité une femme seulement, ou une enfant, échappait à la fureur de cet homme, alors mon âme n'aurait pas à rougir de ses péchés. Un ange est incapable de rancune, c'est bien connu. Alors, la fillette m'a pardonné. J'ai baissé la tête et j'ai vu que, sans raison, Camille pleurait.

Je constate davantage aujourd'hui qu'Hassan avait tort lorsqu'il prétendait que cette guerre n'était pas la mienne. Je crois au contraire que toutes les guerres concernent tous les hommes. Nous sommes tous responsables lorsqu'un être humain tue un de ses semblables au Moyen-Orient, au Pérou ou au Burundi.

Quand j'étais enfant et que j'entendais parler de tous ces conflits qui secouaient le monde, je me disais que les différends opposant les hommes devaient être bien grands. À mesure que je vieillissais et que je prenais conscience de ce qui déclenchait les guerres, je n'y retrouvais pourtant que des gamineries.

Enfant, j'avais une mère qui, régulièrement, me sermonnait pour mes intolérances et m'enseignait à apprécier la différence chez autrui, à partager avec lui afin que lui aussi ait envie de partager avec moi. Enfant, j'avais une mère et c'est peut-être ce qui nous manque une fois adultes. Une mère encore plus adulte pour poursuivre notre enseignement et finir par nous apprendre à nous respecter et ne plus nous entretuer. C'est Brel, je crois, qui chantait : « Finalement, il nous fallut bien du talent, pour être vieux sans être adultes. »

Et voilà que ma plume s'emballe, Marie ! Tu me manques tellement, ce soir, que j'écrirais toute la nuit.

Tu sais, en quittant le Québec pour le Moyen-Orient il y a quinze ans, j'étais perturbé par le décès de ton père. Je cherchais un exutoire à mon chagrin, je voulais me recréer un nouveau monde où nous n'aurions aucun souvenir commun. Mais cette décision de partir n'était pas la bonne. Je sais aujourd'hui que mon bonheur se trouvait auprès de toi ; je le vois en observant notre petite Camille. À mesure qu'elle grandit, elle te ressemble de plus en plus et c'est toi que je retrouve à cet âge, à sa façon de s'exprimer, de s'asseoir sur mes genoux à tout propos, de nicher son nez froid dans mon cou… de manger son miel en collant tous les meubles. J'ai enfin retrouvé ma petite abeille et c'était tout ce dont j'avais besoin. Un bonheur tout simple qui ne s'attrape pas à la course mais à l'arrêt, comme le parfum d'une fleur que l'on respire. C'est toi qui m'as permis de le comprendre, toi que j'ai failli manquer dans le temps. Ironiquement, tu aurais pu être ma fille, tu es devenue la mère de mon enfant. À tes côtés, j'aurai ainsi connu un bonheur double.

Mais désormais pour toi, il ne faudra plus que le tic-tac d'une horloge sur un mur soit le symbole du temps qui tarde à passer. Je vieillirai toujours trop vite et notre enfant nous quittera bien assez tôt. Pour éclairer mes pas, j'avais demandé que l'on allume quelques lucioles ; toi, tu m'as embrasé un soleil tout entier. Fasse le ciel que l'âge me soit indulgent et que tu ne voies jamais en moi le vieillard que je serai devenu bien avant que ta beauté ne se fane.

Inch Allâh.

Table des chapitres

ÉCHOS
une collection à trois niveaux

Conçue pour les adolescents, la collection ÉCHOS vous propose trois niveaux de lecture, aux difficultés variables, spécialement adaptés à vos goûts et à vos préoccupations.

- Niveau I :   12 ans et plus
- • Niveau II :   14 ans et plus
- • • Niveau III : pour les jeunes (et moins jeunes) adultes

(Ces références sont données à titre indicatif, le niveau de lecture variant sensiblement d'un lecteur à l'autre.)

La collection ÉCHOS met en évidence tout le talent et le dynamisme des écrivains de chez nous. Elle propose plusieurs genres et plusieurs formes afin que chaque lecteur puisse y trouver de quoi satisfaire ses préférences : romans, contes, nouvelles, science-fiction, aventures, histoires, humour, horreur, mystère… au choix de chacun !

Reflet de notre époque, la collection ÉCHOS espère servir de trait d'union entre différentes générations.

ACHEVÉ   D'IMPRIMER
EN   SEPTEMBRE   1994
SUR   LES   PRESSES   DE
PAYETTE & SIMMS INC.
À SAINT-LAMBERT (Québec)